UNIVERSA
ECON
FELTR

ERRI DE LUCA

Storia di Irene

Prima edizione ne “I Narratori” settembre 2013
Prima edizione nell’“Universale Economica” aprile 2015

Stampa Grafiche Busti - VR

ISBN 978-88-07-88604-1

Storia di Irene

Irene ha gli occhi tondi dei pesci, degli uccelli, dei mammiferi. Neanche nel sorriso accennano alla piega obliqua.

È orfana, ha quattordici anni e presto partorisce.

Vive in una stanza che era di stalla per l'asino e ora è per lei.

Il proprietario è partito per l'Australia. La casa è in fitto a una coppia olandese, tutto l'anno, la stalla è per Irene.

C'è un letto di pietra e un materasso di foglie secche di cespuglio. Crescono pochi alberi, bassi per via del vento che li piega.

Stanno ancorati al suolo con le radici che s'attorcigliano alle pietre. Se sradicati mostrano all'aria la sconfitta della loro presa.

Così pure dalle isole greche ripartono per l'emigrazione. Gli uomini sono simili agli alberi.

Erano tornati a casa dai mestieri lontani, adesso rivanno dove trovarono una buona sorte.

Da giovani lavorarono a bordo di navi mercantili, sbarcarono in Australia di notte, abbandonando il turno.

Sono stati braccati, hanno usato ogni risorsa, dall'umiltà al coltello. Qualcuno di loro mi racconta.

Abbiamo la stessa età, la stessa dose di fortuna che ci permette un sorso di vino sulla terrazza di un'isola greca.

Tornare adesso all'emigrazione è un salto nel buio, meno profondo, in cambio più amaro.

Essere espulsi due volte fa male alle ossa. Il Mediterraneo per noi è un buttafuori.

Per quelli che l'attraversano ammucchiati e in piedi sopra imbarchi d'azzardo, il Mediterraneo è un buttadentro.

Al largo d'estate s'incrociano zattere e velieri, i più opposti destini.

La grazia elegante, indifferente di una vela gonfia e pochi passeggeri a bordo, sfiora la scialuppa degli insaccati.

Non risponde al saluto e all'aiuto. La prua affilata apre le onde a riccioli di burro.

Dalla scialuppa la guardano sfilare senza potersi spiegare perché, inclinata su un fianco, non si rovescia, affonda, come succede a loro.

Qualcuno di loro sorride a vedere l'immagine della fortuna. Qualcuno ci spera, di trovare un posto in un mondo così.

Qualcuno di loro dispera di un mondo così.

Irene va a nuotare di notte, anche d'inverno. Neanche la burrasca la mantiene a terra. Non usa il fuoco, mangia crudo anche il pesce.

Nei fianchi dell'isola ci sono alveari selvatici. Irene allontana le api con un intruglio di sterco di capra e polpa di molluschi marini.

Se una le lascia il rostro nella pelle, se la strofina con il sale di scoglio raccolto da pozze prosciugate.

Irene sa le risposte a cose che non fanno domande.

Per il villaggio dell'isola la sua presenza è di striscio. Badano a lei come a un'ombra sul muro.

L'ombra di Irene è una zavorra, se la trascina dietro, in terra e sopra i muri. In mare no, se la toglie di dosso appena s'infila nelle onde.

Da quando è gravida non la salutano. È all'ultimo mese, ma se ne sono accorti da poco.

Ha un ventre più allungato che sporgente.

È malasorte su un'isola il saluto levato. Non si ripara, o viaggi o muori.

È poca superficie, un giorno di cammino da un capo all'altro. Ha conigli selvatici e l'aquila con le penne bianche in punta all'ala.

In mare vive qualche ultima foca, maledetta dai pescatori. Fa nella rete lo squarcio con il muso e lo allarga con le pinne. Ci va un giorno amaro a ripararla.

La piccola terra è uno dei bordi slabbrati d'Europa.

La prima volta che sono sbarcato, ho chiesto il nome dell'isola di Oriente.

Mi ha risposto il maestro elementare: "Quella è la più grande che abbiamo. Si chiama Asia e arriva fino a Vladivostok".

Qui non usano il nome di Turchia per la terra di fronte. Dicono Asia Minore, un nome della geografia, non della storia.

Nessuno conosce chi è stato a mettersi su Irene. Non credono sia stato un forestiero.

È fine di settembre e lei ha un ventre prossimo a svuotare: è stato qualcuno in gennaio.

A gennaio sull'isola sbarcano rari marinai di vela. Stanno fermi al porto, più ormeggiati delle loro barche.

Irene non dice chi è stato con lei. Ha deciso di raccontarlo a me.

Vede che nuoto in mare aperto, a dorso, le braccia che vanno diritte alla cieca.

Le piace che vengo da fuori. Da Napoli, nea polis, le dico, nome di scarsa fantasia, inventato dai Greci, sotto un vulcano che scarica a mare.

Adesso non è più nea, nuova, però si rinnova con le invasioni e con i terremoti.

Il sole sorge dietro il vulcano e tramonta sui campi che fumano zolfo.

A Irene interessano le storie.

Quando l'hanno fondata assomigliava a te, le dico, stava più dentro il mare che sulla terraferma.

La sua prima divinità, Partenope, era una ragazza delle onde.

Mi chiede dove arrivo a nuotare. Da nessuna parte, conto le bracciate, cinquecento, poi torno indietro.

Indietro è il posto da cui parto e provengo. Irene sorride, apre i denti, morde l'aria, la inghiotte a piccoli sorsi.

Gli occhi rimangono tondi e lontani.

Si fida della mia età sbiancata alle tempie e sulla barba lasciata spuntare.

Sa che manco di moglie e di figli. Le dico che scrivo storie e le vendo al mercato.

Apro la valigia di commesso viaggiatore, mi

metto a strillare i miei titoli buffi che nessuno ricorda e che chiamano l'attenzione per mezzo minuto.

La nostra specie umana ha bisogno di storie per accompagnare il tempo e trattenerne un poco.

Così io raccolgo storie, non le invento. Vado dietro la vita a spigolare, se è un campo, a racimolare, se è una vigna.

Le storie sono un resto lasciato dal passaggio. Non sono aria ma sale, quello che resta dopo il sudore.

Irene ascolta e il vento sbatte i suoi capelli folti, biondi, mozzati sulla nuca da un taglio di cesoie.

Qualche alga secca resta impigliata, come succede alle femmine dei ricci di mare.

È stata a scuola, ha imparato a leggere ma non a scrivere, per mancanza di quaderno e penna. Sa i numeri ma non li usa, le basta uno, due, molti.

C'incontriamo alla spiaggia di Flores, un gomito d'insenatura dove il mare s'infila per riposo dalla spinta del vento.

L'isola è sfrangiata, con ripari gettati alla rinfusa da eruzioni scivolate a mare.

Scalo a piedi nudi uno scoglio con appigli

di quarzo. Risalgo lentamente una cristalleria di prismi.

La mia spina dorsale accenna alle torsioni del rettile. Mi ha visto arrampicare.

Irene respira profondo, l'aria entra e le solleva il tronco, non solo il torace. Quando fa scorta di fiato diventa una vela.

Poi dice che non assomiglio a una figura umana quando mi muovo sopra lo scoglio.

Aspetto quale sia, poi chiedo. A uno scorpione, somigli, però senza coda.

È vero, l'ho perduta. Però quando il tempo peggiora, sento dolore in fondo alla spina dorsale, alle vertebre che non ci sono più.

Di notte dormo a pancia sotto per non rischiare di pungermi nel sonno.

Lo dico per scherzo, ma subito mi accorgo che è la verità. A dire una cosa, poi quella succede.

Uno scrittore si trasformò in scarafaggio, un altro in un burattino di legno.

A me qualche volta è successo di essere il cavallo di don Chisciotte.

Sono stato spronato da qualche buona causa che mi è saltata in groppa e mi ha spedito in giro.

Più sono buone le cause, più scarse le forze di chi deve servirle.

Scorpione è la prima volta. Irene sa estrarre il veleno, lo mette sulle sue unghie, così resistono meglio alle ore nel mare.

Le guardo e hanno una crosta di madreperla.

Irene chiede se raccolgo pure le storie che non sono ancora un resto. Lei ne porta una nel ventre.

Se vuoi che l'ascolto, l'ascolto. Non posso seguirla nel mare, mi perdo, ma a terra riesco.

Irene sa nuotare a una velocità che non ho visto prima. Il mare sotto di lei è un elastico, i suoi colpi di gambe riunite sono stacchi di pinne.

Salta le onde a tuffo di cetaceo. Ti ha visto qualcuno andare a nuoto? Nessuno, lei scende di notte.

A me lo fa vedere perché c'entra con quello che mi vuole dire.

Si sdraia sulla rena, non mette le mani alla nuca e lascia i capelli sabbiarsi. Da stesa, la pancia diventa una chiglia.

Lei batte il palmo della mano sulla pelle tesa di tamburo. Sta qui dentro la storia.

Non è che lo dice, ma il gesto diventa una frase che ascolto.

Sta qui dentro la storia: ricevo la frase alla nuca, poi scende lungo le vertebre.

C'è un punto nel mio corpo dove i sensi convergono. Allora un rumore diventa un odore, uno sfioramento coincide con un gusto in bocca.

I sensi hanno una stazione centrale da dove si smistano. Lì sono raggiunto da Irene.

Lei è stesa, io sono seduto più avanti, le braccia sulle ginocchia.

È rientrata dal nuoto notturno, io ancora devo scendere in mare.

Come riesci a saltare le onde, e hai pure quel peso nel grembo.

La vita che ho dentro mi spinge a saltare. A terra mi pesa, in mare mi dà la rincorsa.

Nessun corpo umano sa correre sopra le onde, tu sola riesci nel mondo.

Il mondo? Lei guarda il cielo sgombero e dice: quello?

Il mondo per lei non è l'Asia di fronte, l'Europa alle spalle, con il resto di oceani e di terre.

È quello che avvolge la notte, il mare di puntini illuminati dall'orizzonte in su.

La pelle di Irene è fitta di peluzzi gialli, uno

strato di fiori di ginestra. L'odore è di salmastro, di barca da pesca.

Il suo naso si arriccia per annusare meglio e intorno si increspano le sue lentiggini di prugna.

Gli occhi di Irene non mettono a fuoco. Sto nel suo campo e lei mi attraversa.

Non è che mi esclude, ma il suo sguardo manca di fissare un punto.

Chi erano i suoi. Non lo sa, è stata raccolta sulla spiaggia dopo una burrasca.

Cresciuta in casa del pope, ha munto le sue capre, badato alle sue api.

Ha dormito nella sua cucina, su una stuoia.

Il villaggio è devoto, le funzioni dei giorni di festa raccolgono tutti, meno Irene e due anziani comunisti.

Furono rinchiusi nei campi sparpagliati dell'arcipelago, durante la dittatura, negli anni settanta.

I regni, i governi hanno piantato prigioni nelle isole del Mediterraneo. Il mare per loro è un guardiano aggiunto alle sbarre.

In Jugoslavia la peggiore era Goli Otok, da noi era l'Asinara. Le hanno chiuse. Il destino delle prigioni è di finire chiuse.

I due detenuti di un tempo, un maestro di scuola elementare e un elettricista, sono tornati alle isole, per invecchiare in disparte dalle capriole del millenovecento.

La sera su un terrazzino al riparo dal vento muovono le pedine del backgammon e bevono una birra che si chiama Alpha.

Il maestro di scuola elementare mi ha detto che ha preso alla lettera le parole della sua gioventù.

E la lettera Alpha del marchio di birra è quella alla quale è rimasto attaccato. Ne beve un sorso e sorride.

I Greci hanno preso sul serio e hanno scrollato il bavero al secolo del cinema, delle emigrazioni, delle rivoluzioni e delle guerre.

La guerra moderna ha ammazzato più vite in abiti civili che in divisa. I Greci hanno perduto venticinque cittadini per ogni soldato ucciso.

La guerra moderna fa venticinque a uno.

Irene non va alle funzioni. Quand'era bambina il pope le dava lavori da fare durante la messa. Irene non crede e non chiede.

La terra è alta e bassa, non porta pareggio alle sorti. Il mare è più giusto, se un'onda si alza più su delle altre, poi scende.

Fa il verso alle mosse del mare, le mani galleggiano un poco nell'aria, alla pari.

Com'è che capisco le tue frasi, Irene, e nessuna parola si spiccica dalle tue labbra?

Fanno così i delfini, mi risponde. Che c'entrano i delfini? C'entrano i delfini.

Penso agli innumerevoli linguaggi usciti dalla torre di Babele, alle loro grammatiche e alfabeti che separano più delle catene montuose.

Invece una capra albanese s'intende alla svelta con una della Svizzera.

Ho studiato al liceo la lingua di Omero, ma per parlare con un suo nipote greco devo andare a bussare a casa di Shakespeare.

Irene sa la lingua dei delfini e dice che funziona anche con me.

Il regno degli animali è una repubblica. È sprovvisto di corona, il più inefficiente copricapo, incapace di proteggere dal sole e dalla pioggia.

Solo quella di spine, intorno alla fronte dell'uomo, riscatta l'oggetto e il soggetto.

I piedi raggiunti dal mare mi scuotono dall'intruglio dei pensieri. M'importa la storia che tieni rinchiusa nel ventre, le dico.

Si solleva dalla sabbia, si siede sui talloni. I

suoi occhi tondi mi guardano in faccia, mi danno la vertigine di essere invisibile.

Un'onda né d'aria né d'acqua, un'onda di quelle che usa la radio, mi arriva da lei. Il mio corpo assorbe il segnale.

Irene irradia quando guarda in faccia. Mi devo mettere giù, mi sdraio di nuovo.

Il cielo greco è strigliato dal vento. Per mesi qui non galleggia un fiocco di nuvola.

Le chiedo in che posto farà nascere. In mare.

E per aiuto? Tutto l'aiuto del mare.

La guardo: Irene ha la schiena piegata in avanti, si vedono le costole a mantice su e giù.

Allora aspetto la storia di Irene, le dico.

Prima devo vederla uscita fuori da qui. E si batte di nuovo la pelle di tamburo.

Le crederò. Mia madre protestava: "Non credi al creatore dell'universo e dai retta a chi ti racconta una storia".

E commentava il mio silenzio: "Che accidenti è successo alle persone? Erano credenti di una fede, poi sono diventate credulone di oroscopi, indovini, lotterie".

È così, le dicevo, però per credere a una storia devo pure credere alla voce, agli occhi che la pescano svariando nel ricordo, ai piedi che non possono mentire.

Credo a una persona tutta intera mentre racconta, riferisce, dice. Se stona in qualche punto del corpo, me ne accorgo e smetto.

A Irene credo. Del creatore posso leggere nelle pagine sacre, nella sua prima lingua, ma non ne so la voce, il corpo che la dice.

Gli devo prestare dal mio e così non vale.

L'unico indizio a suo favore è lo spargimento della bellezza fino a scialacquarla, troppa e immeritata.

Potrebbe essere la traccia di una volontà, la sua firma diffusa. Questo pensiero subito si disfa.

Vedo la bellezza di Irene e non risalgo in cima all'universo per giustificare che lei esiste.

Esiste perché sì, perché in natura esiste il sì e il no. Succedono, si danno sulla voce, si scacciano, coincidono, si litigano il mondo.

È un giorno perfetto di fine settembre. Il mare se ne sta spalmato, il vento si è fermato a ubriacarsi di mosto in qualche valle dei Balcani.

È da lì che scende a scuotere l'Egeo.

Nessun diesel di barca rientra accompagnato dai gabbiani e dal giorno che si allarga. I campanacci lontani delle capre battono colpi sfusi, niente a che vedere coi rintocchi.

Le sette isole e mezzo, dirimpetto, non hanno il bordo bianco delle onde. Sono aratri fermi, per metà affondati. A largo di Patmos una petroliera sfila indifferente all'orizzonte che la sega in due.

"A contare i miei giorni così fammi sapere": è il verso del mattino, rimasto in bocca da un salmo di Davide. Non potrei dirlo io.

Non mi rivolgerei a qualcuno che m'insegni il conto. Neanche posso dirli miei, i giorni che attraverso.

Appartengono alla processione della vita, che li consuma con scambi di corrente e di energia, tra dentro e fuori.

Sono il parassita del mio corpo, vivo a sue spese, vivo dei suoi giorni.

Cambia le forme, le capacità, stende un reticolato sulla pelle per segnavia del tempo che è passato.

Davanti a lei sto in un'antica inferiorità, di sprovveduto al quale si rivela una divinità.

Sorge dal mare non come Afrodite nella madreperla, ma come la santa dell'apnea e delle praterie sommerse.

Ho l'età di suo nonno ma lei è più antica. Non mi è permessa la premura senile di offrirle un paio di scarpe, un vestito nuovo, una ciambella.

Mi accosta per una consegna. Non ha scelta tra gli uomini, sull'isola, sono l'unico ascolto possibile per lei.

Succede pure alla divinità delle sacre scritture di avere solo uno da avvertire.

Irene cerca in me il vuoto di bottiglia in cui imbucare il suo racconto.

Sa che ho un buon tappo in cima e non lo perderò nel passaggio da mare a terraferma.

Ecco che mi ricordo una canzonetta oscena di ragazzi: "*Quando le ragazze diventano bottiglie, i ragazzi vogliono fare i tappi*".

Con Irene è il contrario, io sono la bottiglia e pure il tappo. Lei è la vita che cerca posto nel mio sottovetro.

Compro pesci al porto dal pescatore che rientra al mattino dall'uscita in mare. Si chiama Pantelì, alto, massiccio, sulla cinquantina, si muove lento a terra e svelto in barca.

Dove c'è meno spazio il suo corpo è veloce. Sbarcato sul molo, rallenta.

Non contratto, prendo quello che ha, pago quello che chiede.

Gli parlo in italiano, risponde in greco, c'intendiamo a mosse e concludiamo lo scambio tra i pesci tolti al mare e dei foglietti di carta moneta.

È maledettamente comodo il denaro, mi permette di ricevere dalle mani di Pantelì il frutto del suo lavoro al largo, delle sue sveglie al buio, delle sue mosse esperte, sui fondali saputi a memoria.

Con che altro potrei scambiare il suo col mio, con una storia?

Lui si fa bastare un biglietto colorato che porta un nome greco, euro, da Europa.

A me pagano un diritto d'autore per le storie che scrivo, e alla Grecia che ha sparso nel mondo il suo vocabolario, neanche grazie.

Pantelì sa che faccio lo scrittore. Per lui equivale a uno scassinatore.

Sorride a me come a un mariuolo scaltro che non si fa arrestare.

Scrivi?, mi chiede con un gesto del dito sulla mano. Sicuro, non mi fermo, continuo a svaligiare le storie degli altri.

Anche la tua, la piglio e l'impacchetto dentro un libro.

È giorno, mi saluta, va a dormire.

Irene è stata al servizio del pope fino all'anno scorso in cambio di tetto e cucina. Lui l'ha mandata via al suo primo sangue delle donne.

Gliel'ha visto colare, ha detto che lei non poteva più stare da lui.

Da un anno il pope ha cominciato a squilibrare. Gli è morto l'asino, glielo curava Irene, senza di lei s'è ammalato.

Gli serviva a far legna tra i cespugli dell'isola. Ginepro, mirto, rosmarino bruciano allegri, mandano tepore nella stanza. La loro brace lenta cuoce le patate.

Senz'asino d'inverno il pope ha cominciato a schiodare le tavole del pavimento.

Poi ha dato alla stufa anche le assi della scala che porta alla sua stanza.

È bruciata di notte, la casa con lui dentro.

Era un legno secco, ha detto Irene.

Di me penso lo stesso.

Con le ultime piogge d'inverno sul mio campo in Italia spuntano a tappeto le margherite piccole.

Cammino e per forza le calpesto. Non restano schiacciate, si ritirano su, spinte da una forza che le vuole diritte.

Forte come un fiore di campo: piegato da un peso mille volte superiore, rialza la corolla.

È la sua natura di starsene impettito fino all'ora di sfiorire.

Dentro Irene c'è la spinta di quelle margherite.

Uscita di casa del pope Irene ha conosciuto il suo primo denaro, facendo pulizie dagli olandesi.

Loro non badano alle voci dell'isola, al silenzio di Irene. I soldi li ha persi.

È carta, mi dice, non sta ferma, se la pigliano i bambini e il vento.

Lei non ha tasche, né ha pensato a un posto per nascondiglio.

Nascondere è un verbo che le ho dovuto spiegare. Ha sorriso e ha ripetuto che è carta.

E se fosse oro? Lo darebbe al mare.

Mi sono ricordato di una benedizione che mi diceva un'anziana donna di servizio, quando ero ragazzino a Napoli: "'O Signore t'ha da fa' diventa' ricco comm'o mare". Ricco è il mare, contiene l'oro del mondo e anche quello dei pirati.

La voce di Irene diventa un suono di passi in una sala vuota, rauca di risveglio.

È abituata alle parole al vento, che le scippa di bocca agli altri e a lei non le fa uscire.

Dicono che è sordomuta, ma io so di no.

Sa soffiare un fischio di gola, che non è di zufolo né di pastore, è un fischio di mare.

Irene ha un coltello italiano, trovato in una barca a vela affondata.

Dalle cabine intatte ha preso solo quello. Mi chiede se è stato rubare. È stato raccogliere, dico.

È il suo più prezioso possesso. Lo affila sul bordo di pietra e con una striscia di cuoio.

Ha il manico d'osso, la lama si piega docile e rientra nella guida. Nel suo palmo risplende come un pesce.

È un guizzo d'intimità mostrarmelo. Non me l'offre e non provo a toccarlo.

Nel greco imparato al liceo esisteva la parola eirene, a indicare una pace. Le dettero quel nome dopo la tempesta.

Il mio è invece buffo, strapazzato nel passaggio da uno zio che sapeva portarlo, a me che l'ho ammaccato.

Non l'ho esposto al ridicolo, ma alla malora sì. Ora è un nome di fortuna.

Accompagna qualche titolo di libro, più da autista che da autore. Faccio il conducente di storie.

Irene dice che i nomi sono fischi, servono a chiamare. Il suo squilla nel mare, tra i delfini che giocano a chi lo lancia più lontano.

In terraferma è spento, nessuno chiama una sordomuta.

Le frasi di Irene non usano la congiunzione *e*, lettera che disegna un nodo. Le lingue che conosco non possono fare senza, per legare.

La scrittura sacra la mette a inizio di frase: e disse, e disse, e disse.

Da quando leggo libri antichi imparo che il mondo è un alfabeto composto da lettere, che si combinano tra loro.

Le consonanti sono la materia e le vocali invece sono acqua, luce, aria, il soffio dell'ossigeno dentro la sostanza minerale.

A fine corsa di questi pensieri randagi, venuti alla maniera delle onde, mi esce detto: tu sei la congiunzione *e* che tiene insieme terra e mare.

Irene suona un'armonica a fiato, ne ha così tanto rinchiuso e capace nel petto da farci una canzone con un solo respiro.

Lei satura di aria la fisarmonica dei polmoni e la svuota alla lentezza che le serve. Irene è uno strumento a fiato.

Escono le murene dagli scogli, dondolano imbambolate.

Una viene quando sventro a riva il pesce. Un po' lo restituisco. Con la testa fuor d'acqua gusta pure le squame.

Da bambino fui morso in barca da una murena appena pescata, volevo togliere l'amo dalla sua bocca.

Mi piantò i denti nella mano. Il pescatore tagliò prima la testa e poi con la pinza mi tolse uno per uno quei chiodini serrati a tagliola.

Ora è tempo di pace, lei, la murena, è la signora della baia che viene a raccogliere la mia offerta.

Le branchie di uno dei pesci svuotati ballano per un momento fuori della sua bocca. Quand'è finita la risciacquatura, si ritira calma com'è venuta.

La prima volta che si avvicinò, mi prese l'istinto di cattura. Era quasi tra i piedi, la potevo colpire senza errore.

Mentre ci pensavo, mi è salito in faccia il sangue e il caldo della vergogna.

Era la padrona di casa che si affacciava a ricevere l'omaggio dell'ospite.

Al posto della vergogna, è venuta la gratitudine.

Imparo come a scuola, all'improvviso. La maestra insegnava in tutti i modi, ma io afferravo dopo, come una scoperta.

Delle tabelline dell'aritmetica capivo la divisione e la sottrazione. Intorno a me c'erano tanti casi di persone e di cose che mancavano, di cose e di persone da dividere con altri.

Il meccanismo dell'addizione e della moltiplicazione invece era astratto. Ripetevo a memoria: uno per uno fa uno, uno per due fa due.

Capii dopo un bisticcio. Il bambino più bravo della classe mi prendeva in giro perché non capivo la differenza tra aggiungere e moltiplicare.

È semplice, due numeri che si moltiplicano fanno di più di due numeri che si sommano. Arrossii, non ci avevo pensato.

Nella vergogna dissi: no. La classe rise. La maestra la fece zittire e io dissi nel primo silenzio: "Uno per dieci fa uno, uno più dieci fa undici, molto di più".

Avevo capito nella vergogna attraverso la sola eccezione. Oggi mi accorgo che una regola la capisco meglio attraverso i casi che le sfuggono.

Racconto a Irene quest'antico ricordo, lei ascolta giocando con una conchiglia.

Ha un coccio di specchio, lo porta ai delfini, i più giovani saltano intorno per vedersi. Fanno le acrobazie per guardarsi nel vetro d'Irene.

Le racconto di un labirinto di specchi che c'era nell'epoca d'infanzia a Napoli. Ci si entrava pagando un biglietto, il traguardo era uscirne, un gioco simile all'alpinismo.

Meglio era muoversi con le mani avanti per non sbattere la testa. Era ben illuminato, ma frastornava trovarsi circondato da se stesso.

Potevo vedermi anche di spalle e non mi riconoscevo. Sapevo di essere io, ma pure un estraneo.

Distratto dai troppi me stesso, prendevo zuccate nei vetri. Ripeto a Irene la mossa di allora, la mano alla fronte, sul naso, dopo la botta.

Ride. È una raffica di colpetti secchi, la risata di Irene. La testa va all'indietro, la bocca verso l'alto in cerca d'aria, a occhi chiusi.

La guardo, approfittando che ride alla cieca. Però sento imbarazzo, come a scorgere una nudità.

Mi viene il pensiero che nessuno l'abbia vista ridere. Glielo chiedo.

Dice che lei ride solo in mare, tra i delfini. In terra sono il primo a farla ridere.

Sono stato ultimo in varie volte e casi, essere il primo in qualcosa è quasi sconveniente per me.

Intanto il vento che scortica la cresta delle onde non riesce a spostare il falco dal suo posto di punta in mezzo all'aria.

Ci sta ancorato meglio che a un ormeggio. Rimane sulla verticale di un bersaglio in terra.

Poi si stacca e si lascia schizzare verso l'alto, dove i nostri occhi non possono seguirlo.

E così ho procurato in terra la risata numero uno della ragazza Irene, che ride solamente in mare.

Succedono impensati onori all'improvviso. La stretta di mano di una persona che ammiro, l'invito a stare insieme a persone che si battono per un diritto.

La prima risata terrestre di Irene sta con questi onori, diritti e schietti.

Le chiedo se ridono i delfini. Molto, dice, e per qualunque cosa. Per loro è una forma di ringraziamento.

Ritorno al racconto degli specchi.

Chiusero il labirinto per troppi incidenti e bernoccoli. Ride di più.

Ricordo dei versi di uno che non amava gli specchi e scrisse una poesia contro di loro:

Oggi, al capo di tanti e di perplessi
anni a vagare sotto varia luna,
mi chiedo quale azzardo di fortuna
*mi procurò il timore degli specchi.**

Io so l'azzardo che mi fece temere gli specchi: furono le zuccate contro i vetri di quel labirinto.

* Jorge Luis Borges, *Gli specchi*, tr. it. di Erri De Luca.

Prima della chiusura il proprietario mi disse il segreto per trovare l'uscita: girare a sinistra in ogni occasione.

Così feci e mi ritrovai fuori, accanto all'entrata, sbalordito dalla soluzione facile.

Al termine della mia prima scalata in montagna, mi è venuto lo stesso pensiero, su una cima.

Racconto a Irene di Teseo che va in cerca di Arianna nel labirinto del Minotauro, sgomitolando dietro un filo per ritrovare l'ingresso.

È una storia di terra, dice, in mare non esistono.

Irene parla di terra come di un posto lasciato dietro alle spalle.

Mi sdraio sulla schiena, faccia al cielo.

Questo è il modo che so per mettermi la terra dietro le spalle.

Le dico che nella mia casa tra i campi strimpello una chitarra qualche volta. La tengo appesa al muro.

Un ragno ci abita dentro e la lega alla parete, senza disturbarsi che ogni tanto la slego.

Quando torno da un viaggio i suoi fili luccicano più delle sei corde.

Penso che abito con un ragno chitarrista che me l'impresta di sera, quando mi scappa la voglia di sentirmi la voce.

Al buio prima del sonno mi escono cantate le strofe del mio dialetto.

Anche a Irene piace suonare l'armonica al buio. La stalla si riempie di musica e le ragnatele traballano.

Chiudi anche tu gli occhi mentre suoni? Sì, risponde, li chiude e sorride.

Siamo due suonatori a mosca cieca, la preferita dai ragni.

Spiego a Irene il gioco della morra cinese. Ci sono tre nemici: la forbice, il sasso, la carta.

Si gioca con le mani, la forbice si fa con l'indice e il medio un poco staccati, la carta si fa con il palmo aperto, il sasso si fa col pugno chiuso.

La forbice vince contro la carta e perde contro il sasso. La carta vince il sasso perché l'avvolge.

Facciamo nello stesso momento con la mano la figura che vogliamo e vediamo chi vince.

Uno, due e tre: al tre tiriamo insieme.

Irene fa una prova con la sua mano e fa sì con la testa, un sì che muove i capelli a onda.

Giochiamo: su dieci lanci li perdo tutti. Mi fermo. Perché non vinco mai?

Perché so la tua mossa.

Sai che figura sto per giocare?

Fa sì con la testa, un'altra onda.

Fine del gioco, Irene, ma se avessi delle carte coperte tu sapresti quali sono?

Se le guardi, sì.

Hai delle specialità che ti farebbero signora del mondo.

Mi guarda seria. Lei sta coi delfini. Qualunque di loro sa fare questi giochi di pensiero meglio di me, dice.

Loro sanno le intenzioni, i pensieri cattivi e quelli buoni in testa ai pescatori.

Scherzano con le onde sonore che non puoi sentire. Con quelle guardano dentro i corpi.

Non mi hanno soltanto insegnato, dice, mi hanno trasformato per farmi stare con loro.

Mi hanno messo nelle gambe la spinta della loro coda. Nei polmoni ho la stessa scorta d'aria. Ricevo e rimando pensieri con loro.

Raccontano storie dai mari del mondo, di viaggi e parenti lontani.

Se glielo chiedo mi cambiano il corpo e divento una di loro.

Non glielo chiedi?

Mi tengo il corpo che ho, mi piace camminare, dormire con i due occhi chiusi, loro ne hanno sempre uno aperto.

Mi piace il sonno che mi fa scomparire e poi apparire.

Anche a me succede lo stesso, dormo come un sasso, il lenzuolo è la carta che mi avvolge. C'è pure la forbice che fa zic zac a vuoto per compagnia. Nel sonno i tre nemici sono amici.

Dacci oggi il pane di tutti i giorni. È una misura difficile per noi di terra, che raccogliamo in un giorno quello che deve bastare a lungo.

Noi accaparriamo, mentre in mare no, lì i pesci riescono a ottenere il pane di tutti i giorni.

I pescatori chiedono di più e ora la pesca è magra. Qualcuno è andato a strascico sul fondo. Dopo il passaggio lascia deserto. Il mare non può essere arato.

Qualcuno pure innesca una miccia, la carica esplode, poi raccoglie i cadaveri dei pesci.

La voce di Irene si spezza in frasi brevi. Si alza sui talloni, s'incammina. Stanotte sarà il manco di luna, al rientro dal nuoto mi dice la storia.

La vedo salire a passi corti, più in punta che in pianta di piede, oscillando, anfibia che sta meglio a mare.

Irene si muove da delfino anche in terraferma. Fa i passetti corti per l'abitudine di nuotare a gambe saldate che devono produrre la spinta di coda dei delfini.

Fa come se: la sua volontà d'imitazione la trasforma in quello che desidera di essere.

Basta fare come se, per diventare? Lei ha messo la sua vita in mare, o diventava come un delfino, oppure niente Irene. Quando non esiste altro, allora basta fare come se.

Il seno è quasi piatto, da bambina, come potrà allattare, chiedo a me stesso.

Ricordo che ne ho visti di così poco adatti solo in qualche Madonna di Bartolomeo Suardi, atletica e sprovvista di appigli per neonati.

Dev'essere il nuoto a spianarle il petto, mi dico e mi avvio dentro l'acqua del mattino.

All'inizio le bracciate a dorso devono raggiungere la parità tra destra e sinistra. Si assesta lentamente un timone che punta verso il largo. I piedi magri e lunghi sono al seguito del corpo più che alla sua spinta.

Nel nuoto si riposano dall'obbligo di traino.

E così Irene dirà la sua storia marina a uno di terraferma, un forestiero.

Succede che gli uomini si mettono a sedere e mi fanno racconti dei loro giorni duri, di viaggio, insonnia, fame.

Dev'esserci un silenzio sulla mia faccia che li rassicura: non saranno interrotti.

Le donne no, si appartano tra loro per narrare. Le donne sono un'isola. Irene non ha posto tra loro e neanche tra gli uomini.

Mentre nuoto i pensieri si affacciano tra i respiri intensi che devono portare ossigeno di sangue fino in punta alle dita di mani e di piedi.

Nelle scalate sto in appoggio sulle ultime falangi, mi accorgo di più del loro uso.

Scalando pareti conosco meglio il peso dei chili e degli anni, che in questo settembre coincidono.

In mare invece gli anni e i chili sono lievi, da dimenticarsene.

Le mie mani spostano l'acqua, quelle di Irene l'aprono come una prua.

Neanche se volesse potrebbe essere lenta per nuotare insieme a me. Ci possiamo incontrare dove il mare arriva e la terraferma s'inginocchia.

Fossi un altr'uomo, la toglierei dall'isola e la esibirei nelle vasche d'acqua dolce a gareggiare, salire su pedane a cogliere medaglie.

Da suo impresario batterei cassa al botteghino della società mondiale degli spettatori, ghiotta di novità da applausi.

Irene, la creatura delle onde, sarebbe la perfetta indossatrice della loro pubblicità. Le merci si spartirebbero i centimetri della sua peluria.

Irene cancellerebbe i primati fino a estinguere le competizioni. Il corpo umano non sa correre in acqua.

Fossi un altr'uomo, Irene non si sarebbe avvicinata con una storia e con il nuoto segreto.

Devo essere stato approvato attraverso uno sconosciuto esame. A luglio sono stato accostato da un delfino mentre andavo a dorso.

Sono stato investito dal suo vento che mi passava a fianco e sotto la schiena.

Era una carezza profonda che partiva dai piedi e percorreva il corpo fino a proseguire oltre la nuca.

Mi apriva il mare, mi riempiva il fiato. Mi vibravano gli organi, reni, cuore, cervello, solletico ai polmoni, un soffio nelle ossa.

Ho chiuso gli occhi e ho nuotato i più leggeri metri della vita.

Le bracciate seguivano una corrente, l'effetto era di scendere dalla cima di un'onda.

Ero un bambino sopra l'altalena spinto alle spalle da un adulto allegro.

Così forse si nuota in paradiso, accompagnati da un delfino.

Quando ho aperto gli occhi ero lontano dalla costa, niente affatto stanco, anzi al completo di energia.

Non ho nuotato a dorso per tornare a riva. Mi sono rivoltato pancia sotto e ho avviato il mulinello opposto.

Volevo trattenere in corpo la felicità del nuoto a dorso con il miglior maestro.

Dev'essere stato quello l'esame. Il sonar del delfino scruta gli organi interni, con il flusso di andata e ritorno.

Mi ha visitato il sangue, le intenzioni, le ferite.

Sulla riva all'asciutto ho scritto sul quaderno l'incontro con il vento che fa un delfino in mare.

Sono salito alla terrazza per condirmi i pomodori gonfi di sugo e di sole assorbito.

Me ne sto al riparo nelle ore centrali che schiacciano a terra anche le ombre.

La luce ha un peso, all'alba è di alluminio, al tramonto è di rame, in mezzo è di piombo.

Aspetto dal terrazzo la sua calata paonazza sull'isola di Patmos.

Da qui credo di intendere il delirio di Giovanni che lì racchiuse in ventidue capitoli i simboli furiosi dell'Apocalisse.

Assalito da suoni, voci, numeri, dal sette ribadito diciannove volte, da bestie, draghi, angeli e fameliche figure femminili, scrivendole si liberò di loro.

Ci si affranca dagli incubi e dalle visioni spargendole tra gli altri. Dopo riuscì a dormire, liscio e svuotato come una conchiglia sulla spiaggia.

Il tramonto addosso alla sua isola è un crollo di luce che si schianta in frantumi. Ogni sera il cielo erutta sopra Patmos e dentro il mare.

A quell'ora bevo alla salute dell'Apocalisse, con un vino freddo e una tazza di olive nere. Celebro il Sud che ho davanti, oltre i miei piedi stesi.

Celebro il Sud che ho davanti, oltre i miei piedi stesi.

Al primo pianeta che si accende, preparo la cena.

All'ora in cui di solito mi stendo per dormire, invece questa notte scendo alla caletta per incontrare Irene.

La sua voce che non passa per corde vocali e per labbra si scioglie nel mio ascolto come fa una nuvola con la sua pioggia. Non m'incanto, resto vigile da spettatore di un mago che fa spuntare monete da una mano vuota, colombi da un cilindro.

Scendo alla caletta zoppicando, per via del nervo sciatico. Mi piglio in giro col pensiero di Giacobbe che lottò con un angelo di notte e rimase sciancato.

Non ho voluto un lume, vado a passi incerti e all'appoggio di un bastone.

Scendo canticchiando una canzone antica, nata a mare senza l'autore e senza la scrittura, cantata e tramandata a voce.

"*È nata miez'o mare Michelemmà, Michelemmà.*"

Al ritmo zoppicato del bastone ricalco al buio il sentiero e arrivo alla spiaggetta con l'ultima strofa in bocca: "*Pe' fa' muri' gli amanti, Michelemmà, Michelemmà*".

Sopra la testa si è aperta la concorrenza delle stelle, il loro mercato illuminato.

In mezzo passa un corso principale, una

via salmastra più che lattea, un traffico di ammassi.

Intorno è sparso il fitto assortimento di anni luce. Sembrano punti fissi e invece sono flussi di energia lucente scaraventata in viaggio, alla più leggendaria delle velocità.

Le mie pupille aperte ricevono la loro corsa sfrenata in mezzo al vuoto.

Sdraiato sotto, vedo sobborghi illuminati. Così dal finestrino di un aereo ho visto la prima sponda dell'Africa, Il Cairo.

Andavo in Tanzania dove le notti si spartiscono il giorno in parti quasi uguali. Il Cairo dall'aereo era un cielo notturno rovesciato in terra.

Ero nei trent'anni, lasciavo alle spalle il vuoto di una comunità dissolta. Fu di migliaia, poi d'improvviso diventò rischioso pure salutarsi a un crocevia.

Dentro furgoni dai vetri schermati, alcuni arrestati giravano con i carabinieri a denunciare i loro stessi compagni per ottenere in cambio un'altra vita.

Era il commercio della propria in cambio dell'altrui. Ricevevano un'altra identità e un'altra coscienza.

Con le mani in tasca, senza rispondere al

saluto di chi mi chiamava per nome a alta voce, mi disperdevo insieme alla nostra varietà sospetta.

Sciolto il destino comune, i suoi membri andavano a tentarne uno privato.

Davanti avevo l'Africa, gigantesca e stretta nel recinto di un piccolo villaggio, che la rappresentava e anche la conteneva.

Nessuno direbbe di essere stato in America se ha solo vissuto per un po' in una cittadina dell'Idaho. Con l'Africa è diverso.

Chi è stato e si è fermato in un suo minimo cantuccio, può dire di averla abitata.

Parlavo allora il kiswahili, una lingua che ignora il verbo avere, attenta a distinguere nella grammatica gli esseri umani, gli animali, le cose.

In un villaggio della Tanzania sono passate su di me le notti più buie e più sonore della vita passata con me stesso.

Fruscii, gridi, richiami, ringhi, il violino perpetuo delle zanzare che trasmettevano al sangue le febbri di malaria, il soffio in faccia del volo dei pipistrelli, le termiti che mangiarono Dostoevskij, *L'idiota* e *Il giocatore*, che per me coincidono con lui.

In una notte greca mi torna a riempire l'ascolto lo scatarro sonoro dell'Africa e di trent'anni fa.

Tra le ossicine dell'orecchio interno s'impigliano le storie che poi scrivo a memoria.

Stanotte sono carta assorbente, il buio m'impregna del suo inchiostro.

Steso sulla spiaggia rivedo Il Cairo sul soffitto. Ne ignoro la lingua, non l'arabo ma l'astronomia. Sono un analfabeta di stelle e di universo.

Da questi paraggi e negli arcipelaghi vicini, un milione di notti prima di questa, qualcuno imparò a leggere la stesura del firmamento a vista.

Conobbe i confini del sistema solare fermandosi a Saturno, calcolò i cicli di eclissi e di comete, prim'ancora di sporgersi di là di Gibilterra.

Prima di perlustrare il pianeta, visitarono la notte illustrata del Sud.

Anassimandro di Mileto costruì un orologio solare. Poi trovò conchiglie sui monti e suppose che la terra stava scacciando il mare. Non era alla portata della fantasia di allora indovinare invece che era la superficie emersa a prendere distanza sollevandosi.

Filolao intuì che la terra non era centrale

nella macchina dell'universo, provando a scuotere senza risultato la presunzione di essere i beniamini della creazione.

Ipparco di Nicea catalogò ottocentocinquanta stelle divise in sei grandezze.

Sulle torri di guardia gli astronomi erano sentinelle, avvistavano sciami e carovane sulla pista del circo notturno.

Le notti senza luna mischiano il mazzo ai miei ricordi, affollano i pensieri di uno che è campato più in disparte che assieme.

Tolgo dalla nuca la protezione delle mani, lascio la sabbia entrare nei capelli. La pianta dei piedi riceve il solletico del mare.

Dev'essere stanotte che Irene partorisce. I muscoli espulsivi, la mancanza di luna, il mare avvolto a lei come uno scialle, stanno spingendo insieme.

Non sono padre di nessuno, non mi è capitato d'immaginarmi in una sala d'attesa. Stanotte mi ci trovo.

Il mare che mi sfiora è la porta che si dovrà aprire.

Sento il suo traffico quieto. Sono poche le nascite mammifere nel suo largo segreto. Il mare è il gigantesco serbatoio delle uova, deposte innumerevoli dal singolo pesce.

La vita conta sul molteplice, ognuno è l'esemplare di un'immensità che va sprecata.

Così è pure per chi è di terraferma, però in mare il brulichio vivente è più sfrenato, più bisognoso di buona fortuna.

Il mio pensiero di lontano parente, convocato stanotte in una sala d'attesa intonacata a stelle, è: buona sorte a Irene e alla creatura che nasce e che affiora.

"Thalassa!", mare, gridarono i Greci di Senofonte quando videro apparire il luccichio del Mar Nero dopo la lunga ritirata sulle piste dell'Armenia.

Da quella sponda potevano tornare a casa. Il loro grido, scritto in un libro, si è propagato a eco nel mio cranio.

Finita la scuola, quando con la famiglia scendevo al porto per raggiungere l'isola di fronte, ripetevo le sillabe del loro sollievo, felice, furibondo.

Thalassa pur'io, dicevo per saluto al Molo Beverello, salendo sopra il vaporetto bianco.

Si staccava dal porto passando in rassegna le navi grigio chiaro da guerra della Sesta Flotta Americana, ormeggiate ovunque.

Ultima da lasciarsi indietro era la portaerei

piantata in mezzo al golfo a pareggiare il mare come una pialla a mano.

Il tempo della traversata e mi veniva incontro dalla storia un'altra voce. "Tierra!" gridò dalla coffa dell'albero maestro il marinaio di vedetta sulla *Pinta*, la più piccola e la più veloce delle vele affidate a Colombo.

Dopo mesi di oceano e di occhi consumati sopra l'orizzonte, appariva una striscia.

Allo sbarco sull'isola d'estate, ripetevo a bassa voce le sillabe della loro euforia. "Tierra": da inginocchiarsi per baciarla, dopo nove mesi nelle viscere della città balena.

Mi toglievo le scarpe e inauguravo la stagione scalza, sotto il cielo rotondo a semicerchio, che invitava chiunque a essere il centro.

Ieri troppo presto, domani troppo tardi, a ognuno dei giorni sull'isola spettava l'invenzione del tempo.

Il suolo sobbolliva di fumarole e fanghi, la pelle diventava una buccia di carruba e i capelli un cappello di paglia.

Quell'isola d'infanzia era un dorso di schiena, il porto era lo spazio tra due vertebre.

Era nascosto il suo ombelico, il sesso, il grembo. Era segreta: crederla scoperta era un malinteso creato dallo sbarco.

I pori si dilatavano per assorbire l'aria assetata di nostro sudore, suonata dai calabroni e dalla batteria delle cicale.

Dipendo da un'acustica, se leggo un grido, un treno, un canto, una valanga, dentro di me il fantasma di un tecnico del suono la produce.

Pure mentre scrivo sto a sentire, trascrivo. Le frasi che mi frusciano sul foglio di quaderno vanno a fiato.

Stanotte mi trovo sdraiato sotto le grida di quelli che intravidero un traguardo.

Dimentico perché sono venuto al confine tra la terra e il mare.

Esistono ore e luoghi che pretendono lo svuotamento di qualunque intenzione. Esistono degli effetti senza causa.

Sulla cresta del Sinai il profeta balbuziente smarrì il movente della sua salita. Gli bastava essere arrivato alla frontiera, dove la superficie smette e il vento non ha polvere da alzare.

Stava al centro della sua vita, uno di quei centri venuti senza avviso. Chi ci si trova, vuole restare lì, sul perno della rotazione.

Poi si viene espulsi, è successo a ognuno,

cacciato via da un grembo, il più perfetto centro di universo.

Su qualche cocuzzolo in montagna mi accorgo di stare in uno di quei punti fermi, intorno ai quali gira una giostra muta.

Stanotte mi succede di nuovo. In principio ero qui, prima di nascere. Ero pesce inghiottito da altri pesci.

Ero plancton, batterio, organismo di idrogeno, di ossigeno e carbonio. Si è poi aggiunto il fosforo e qualche metallo, dichiarato vile dagli alchimisti.

Nessuna traccia d'oro nelle mie acque. Il mare invece ne contiene in grandi quantità, sciolto e suddiviso in parti uguali.

La migliore distribuzione della ricchezza: strano che il comunismo non ha preso il mare come esempio.

Sulle sue bandiere a fondo rosso ballano martelli, falci, compassi e stelle, ma nessuna onda. Ha preferito operai e braccianti al posto di pescatori.

In tribunale è disegnata una bilancia, ma la sua giustizia dipende dai contrappesi, variabili da caso favorito a sfavorito. Il mare invece spiana i dislivelli senza trucco.

Dimentico di stare in un'attesa e divago. Sto nella sessantina, età giusta per me.

Ho avuto preferenza per il numero sei. A scuola era la sufficienza appena, per me era la pienezza. Sufficiente era il cinque, la metà della posta.

Il sette era lo zelo, l'otto era l'ingrasso, il nove l'esagerazione e il dieci mai assegnato.

Ho poi saputo che il sei è il beniamino di natura: l'esagono perfetto eseguito dalle api, dai fiocchi di neve, dal ghiaccio, dai cristalli.

Sto dentro l'esagono sbilenco dei miei anni. Ho intorno i suoi sei angoli e potrei dare un nome a ognuno di loro.

Dopo le nuotate mi fermo a giocare con i sassi. Ne raccolgo di piatti, li sovrappongo fino a sei col più piccolo in cima, a fare una scultura traballante.

Nel fondo accanto a riva ne raccolgo uno concavo, me lo porto nel palmo per un giorno. Un po' lo stringo, al posto di una mano. Poi lo rimetto in mare, me ne cerco un altro, coi sassi non sono fedele.

Certi giorni dell'isola ho i sussulti di felicità di un cane che non se la trattiene e un po' se la sgocciola addosso.

I piedi ricevono una carezza lunga, un'onda con più spinta. Mi distoglie dal centro e mi rimette sul bordo di una spiaggia e di una notte.

Ricordo di essere venuto per il balordo appuntamento con una ragazza madre, nuotatrice notturna.

Il bianco della barba e delle tempie non mi ha migliorato l'esperienza. Sono di nuovo insonne dentro l'imballaggio di un'attesa.

Un fischio secco, uno schiocco di labbra si accosta a riva dal largo. Mi alzo sui gomiti per intenderlo meglio.

Un rumore di onda che si gonfia punta su di me, ritiro i piedi indietro. Irene salta al buio sopra le onde e saltano con lei gli spruzzi.

Sono in due, un delfino l'accompagna. Il mare fino a quel momento calmo, diventa un tappeto srotolato sotto di loro, mosso dall'arrivo.

Irene tocca terra scendendo da una schiena.

La pinna si rigira per tornare al mare e vedo il bianco del disegno di clessidra sul ventre del delfino.

Irene è in piedi sulla riva. Ora lo sai: e si siede vicino. La sua voce spunta nella mia testa insieme all'acqua strizzata dai suoi capelli.

Ora so che lei sta con i delfini. La portarono a riva da bambina. La nutrirono del loro latte denso e delle alici azzurre. Imparò le onde sonore che ricevo e sono un fruscio di mare dentro la conchiglia dell'orecchio.

Irene si unisce ogni notte alla famiglia dei delfini, undici con lei, guidati da una femmina adulta.

Per loro lei svuota le reti senza romperle, scende sul fondo e stacca dalle esche le alici e i pezzi di calamaro, apre le nasse.

Con il coltello italiano libera e salva i suoi impigliati in qualche rete.

Sta con loro finché dura la notte. È coetanea di due delfini, una femmina e un maschio.

Sono cresciuti insieme, hanno esplorato i giochi fino all'avvento della maturità.

Irene ha avuto il primo sangue in mare, la famiglia ha sparso la notizia con le code.

Sono saliti dalle profondità i pescecani per assaggiare qualche goccia di brindisi alla maturità di Irene.

Ci sono stati salti di code al cielo e ricadute strepitose a fare festa per il sangue nuovo. I più alti erano del suo coetaneo, a lei promesso dalla femmina madre, che ha trattenuto il figlio nell'attesa della fertilità di Irene.

Ogni delfino maschio deve girare il mondo, viaggiare per gli oceani, nello sgomento della libertà che all'inizio è un esilio.

Il maschio l'ha portata al largo. Si è messo ventre al cielo, Irene su di lui. Le onde li sollevano su e giù.

I mammiferi terrestri nell'accoppiamento stanno fermi sul posto. I delfini no, muovono la coda e vanno insieme alle spinte dell'amore.

Vanno, senza sapere dove, a occhi chiusi e con il sonar spento, affidati al mare e al loro viaggio a due.

Hanno bisogno della scorta degli altri, che li accompagnano in corteo nuziale a fare la volontà lieta e seria della riproduzione.

Il girotondo delle femmine proteggeva coi fischi e con gli schiocchi. Poi il mare è diventato bianco per lo scroscio di schiuma delle code.

La prima notte degli accoppiamenti lei è stata incinta subito di lui. Sono rimasti insieme questi mesi fino al parto di stanotte.

Anche sua sorella coetanea ha partorito. Le femmine decidono il momento e anche quale seme ammettere nell'ovulo.

Per questo non c'è rivalità tra i maschi, il primo che si accoppia ha le stesse probabilità dell'ultimo.

Non devono battersi per la precedenza e la supremazia. Nessun maschio sa se è padre o no. Decidono le femmine.

Vedo la vita di Irene con loro e la tristezza di separarsi ogni giorno dalla sua famiglia. Lei è per metà di terraferma, deve salire, asciugare il corpo, dormire sopra il solido.

Le hanno chiesto a mosse brusche sull'isola chi fosse il padre. Ha risposto con un gesto che indicava il mare. Irene in terraferma è data per sordomuta.

Sono state le donne a togliere il saluto. Credono che si è accoppiata a uno dei loro maschi.

Gli uomini si sospettano, si ammiccano, obbediscono alle donne e anche loro tolgono il saluto.

Aspettano di vedere a chi assomiglia la creatura. Non la vedranno.

Irene di fianco mi spinge nella testa le frasi brevi della sua storia. M'investe e mi trasporta.

Mi porta alla mattanza dei delfini nella baia di Taiji, ogni anno il loro sangue ingrassa il mare del Giappone.

Li macellano insieme fino agli ultimi che smettono di resistere e si fanno ammazzare.

I delfini comandano il respiro, possono arrestarlo.

E tu?, chiede sfacciato il mio pensiero, senza che io abbia governo neanche sulle mie domande.

Io sto tra loro e voi.

Un delfino dura cinquant'anni, molto meno se in prigionia di acquari e di piscine.

Costretti a fare capriole in aria per ricevere il cibo, si ammalano, avviliti dal chiasso degli applausi. Sono frustate e sono derisioni.

Nati per navigare oceani, rinchiusi in acqua ferma muoiono di mancanza.

Sai che un delfino piange? No, so che le lacrime s'accoppiano alle perdite e raramente anche a un'allegria.

Scaccio il pensiero, però rivedo le lacrime di nonna che cadono senza un colpo di singhiozzo sopra suo figlio e scorrono senza presa su di lui.

Sono più giuste quelle dei delfini perché restano in mare.

Hai ragione, Irene, in terraferma cadono sulle mani, sopra il pavimento, oppure dentro un cinema.

Mi volto a lei e vedo per la prima volta una ragazzina orfana in terra, che ha dovuto cercarsi al largo, dentro il mare, l'affetto e la famiglia.

La terraferma è stata matrigna, il mare invece l'abbraccia e l'accarezza.

Sull'isola è mancato il cavo di una mano per cuscino della sua.

Ci hanno pensato i delfini a offrirle la pinna

d'appoggio per farla scivolare con loro senza peso.

Irene che mi mette soggezione quando mi guarda in faccia, mi sta facendo venire umido agli occhi.

E mi sto fermo, senza spalancare le braccia magre per un'accoglienza.

Così mi cadono dagli occhi un paio di gocce. Lei le raccoglie al volo e se le mette in bocca. Sono buone, dice.

Sono uscite le barche per la pesca notturna ai calamari, fanno uno spargimento di lampare.

Pare che 'e stelle so' cadute a mare, dice la strofa di una canzone del paese mio.

Irene ha partorito al largo e ha sollevato la creatura all'aria.

È un delfino, uscito di coda, lei ha messo al mondo uno di loro.

È giusto così, dice, me l'ha dato il mare.

In questi mesi della gravidanza Irene ha pensato a suo padre.

Di lui non ricorda niente, neanche il nome, l'età.

In questi mesi l'ha cercato sulle facce degli uomini. Va bene pure la mia.

Non sono padre, Irene, non mi è capitato.

E io non sono figlia, però guardo le facce

degli uomini e nessuna potrebbe essere quella di mio padre. Tranne la tua, che non hai avuto figli.

Senza permesso invento la storia che sei tu, che non sei annegato nel naufragio. Una barca ti ha preso a bordo il giorno dopo. In quella notte hai perso e hai dimenticato.

E ora sei su un'isola a raccogliere storie portate dal mare. Ascolti una ragazza orfana, cresciuta dai delfini, madre di uno di loro.

Ho attraversato notti senza appoggio, a spingere, annaspare, insonnie di ferro e di fuoco e qualche mano santa sulla testa che mi ha tirato a bordo del giorno seguente.

Così posso entrare nella tua storia di padre salvato e smemorato.

Con la mia vita ammaccata ascolto la tua prodigiosa: s'incontrano al confine tra la terra e il mare.

È una notte antica del Sud, sotto il cielo che compie la sua ruota panoramica intorno alla polare.

In una come questa di settembre mia madre fu raggiunta dal seme di mio padre.

Si è figli della prima ora di una gravidanza e non dell'ultima, quella di espulsione.

Non è di maggio il mio giusto capodanno, è di settembre, non importa il giorno.

Loro stanotte sono di nuovo qui, tornano a inventarmi.

In quel tempo il mondo era tiepido dei crateri rotondi dei bombardamenti.

Bisognava rimettere mano alla vita dopo le mattanze.

Il lancio di riso all'uscita delle magre nozze rimarginava i vuoti. Le nascite servivano a rimborsare i lutti.

Racconto a Irene il Sud e il tempo dai quali provengo.

Lei non può risalire a un'ora, a una notte di abbracci che l'hanno suscitata, come succede al fuoco soffiandoci sopra.

Irene è senza il tempo accaduto prima, lei inizia da se stessa.

Ogni giorno potrebbe essere il tuo compleanno, le dico. Ogni giorno lo è.

Nessun giorno per lei è meno di un altro.

Racconto che nella baia di un'isola in oceano ho nuotato con le tartarughe. Un po' mi accompagnavano, un poco le seguivo.

Si fidavano di me, salivano in superficie a respirare. Lo fanno quando sono sicure, perché in quel momento sono indifese.

Vanno a bracciate lente dall'Africa al Brasile, per mettere le uova in una nicchia stampata nell'istinto.

Ripetevo il ritmo del loro battito di braccia per un impulso d'imitazione. Imparavo una lezione di andatura: fai così, allarga l'acqua, chiedile permesso, poi con le gambe spingi.

Il mare avanti a loro è una gran tenda, da aprire senza strappi.

Irene ha visto anche lei il nuoto delle tartarughe, dice che ho il loro stesso collo. Guardano in faccia, pesano l'intruso, se innocuo o guastatore.

Una dopo uno sguardo mi ha accennato.

L'ho seguita lungo il fondale basso, come fa un nipotino con sua nonna. Ho avuto desiderio di abbracciarla.

Chiedo a Irene se lei abbraccia i suoi delfini.

Uno per uno, dice.

Irene entra in mare anche quando sbatte forte, cavalcato dal vento.

In quelle notti i delfini raggiungono una grotta.

L'ingresso è sommerso in profondità, lei sale sul maschio, insieme scendono veloci nel cunicolo e affiorano nella cavità buia e quieta.

Una corrente d'aria scende a cascata da un'apertura invisibile. La grotta si riempie di onde sonore, vibra come un organo.

I delfini giocano a chi manda il segnale più forte. L'eco è un divertimento.

Irene ha imparato lì la trasmissione del pensiero dal suo corpo a un altro.

Chi lo riceve da lei crede di sentire voci, si spaventa di spettri. È invece lei che avvia un contatto, respinto dal terrore.

Lo accolgo per abitudine di sentire voci. Erano di donne, le prime, venivano da dietro muri e porte chiuse male.

Narravano la malora e la fortuna, l'eruzione in cielo, la cenere spalata da terrazzi e tetti. Le sirene d'allarme, le corse nei ricoveri, le insonnie e le risate per chi arrivava prima.

Non mi spaventano le voci che mi parlano dentro. Mi hanno tenuto la prima compagnia e le sento ancora.

Se smettono, finiscono le storie.

I delfini temono i lampi, in mare sono bombe. Anche se scaricate vicino e non addosso, li ammazzano lo stesso o li fanno impazzire.

Vanno a morire in spiaggia cercando terraferma. I fulmini sono calci dal cielo, scuotono il mare in profondità.

La grotta di riparo è un doppio concentrato della notte. Irene sale su una roccia liscia, i delfini si addormentano appoggiati uno all'altro.

C'è stato il naufragio di un battello, trasportava animali nelle gabbie ammucchiate sul ponte. I delfini saltavano fuori dalle onde per vedere le creature sconosciute.

La chiglia ha urtato un cassone sommerso a pelo d'acqua, si è squarciata. Il battello è affondato in un minuto.

Le gabbie sono cadute in mare, gli animali rinchiusi sono affogati. I delfini li hanno accompagnati verso il fondo.

In superficie è rimasta una tigre, liberata dall'urto. I delfini le hanno girato intorno per incoraggiamento.

Le hanno dato le spinte per tenerla a galla, poi in due se la sono caricata sulle schiene e l'hanno trasportata a riva.

Non su un'isola, ma sulla maggiore terraferma, Irene le ha toccato il muso e ha ricevuto in cambio una carezza ruvida di lingua.

Ripassando dal posto del naufragio galleggiavano balle di fieno, plastiche, un televisore e dei libri. Ne ha preso uno, lo ha asciugato e letto.

Lo ha rimesso in mare, i libri galleggiano come le pietre pomici.

Ce ne sono anche con le storie di mare, le dico. Una racconta la caccia a una balena bianca.

Irene la conosce, sa la versione dalla parte del mare. Non ci fu nessun superstite.

Lo scrittore ha saputo la storia dai delfini, quand'era sulle navi, ma non se l'è sentita di scriverla e allora ha inventato un marinaio salvato.

La balena albina era incinta e si batté in difesa della sua maternità.

Ringrazio Irene della sua notizia, dev'essere per questo che attaccò anche la nave, non solo le scialuppe e i fiocinieri.

In cambio lei vorrebbe conoscere la storia della tigre. Gliela invento.

Quando smetto dice che non basta, manca della fine.

Quella non la so, le storie che scrivo si fermano prima.

Della sua però, come finisce lo dovrò sapere.

Va bene, intesi, ma bisogna che io stia lì, la fine non s'inventa.

Le dico che ho visto una libellula sfiorare il mare. Ha scippato un pesciolino senza un'increspatura, come si toglie un pelo dal latte.

È stato così l'ultimo respiro di mia madre. Di lei sì, posso raccontare la fine.

Irene ha assistito al parto di una balena insieme alla sua famiglia che stava attorno alla nuvola delle sardine.

Lei si è staccata da loro e si è avvicinata per curiosità. La coda era fuori ma le spinte erano deboli.

Lei è andata a tirare la mezzaluna con la sua forza intensa e col suo ritmo di strappi ha dato vita alle spinte.

È salita all'aria molte volte, infine l'uscita è avvenuta e lei si è trovata abbracciata al più grande neonato del mondo.

La balena si è mossa pianissimo per non spingere Irene con la coda giù in profondità.

Ha recuperato il figlio sollevandolo in superficie.

Vengono a nascere in Mediterraneo perché non ci sono le orche in agguato intorno al parto.

Dopo lo svezzamento ritornano in oceano.

I delfini si azzuffano solo con gli squali, quando attaccano uno di loro isolato.

Allora schizzano velocissimi in aiuto, anche da lontano, e attaccano gli squali nel solo punto debole, le branchie.

Colpiti lì dal muso lanciato veloce, scappano via.

Irene ora aiuta le balene a nascere. Dove stanno iniziando le spinte espulsive lei arriva, portata dalla famiglia che sa da lontano e da prima.

A loro piace vedere Irene al lavoro di mettere al mondo.

Danno un appoggio ai suoi piedi che fanno da leva e accompagnano le contrazioni della madre. È una nave che partorisce una scialuppa.

Nascere in mare è passare da un liquido stretto a uno sconfinato. È sbucare da un vicolo nel largo di una piazza.

Non è il salto nell'aria della specie umana, buttata dal caldo nel vuoto che asciuga e non accoglie.

Il cucciolo di donna è spinto allo sbaraglio, quello di balena è accompagnato invece in un'immensità, sorella maggiore del grembo.

Nel mio nuoto di superficie non mi immergo, resto fuori a metà. Il mare è una soglia e non la passo.

Ho la curiosità di sapere cos'è per un delfino la superficie: somiglia a quello che è il cielo per noi?

No, dice Irene, il cielo per noi è leggero, il posto da raggiungere quando non avremo più il corpo.

Per un delfino l'aria è il contrario, dove pesa di più e la sua corsa è frenata.

Salta fuori dall'acqua per misurare il peso che non ha in mare.

Mi viene un sorriso al pensiero che invece credevo a un desiderio di leggerezza nel salto di un delfino.

È come sull'altalena, dice Irene, quando va veloce. Arrivi al punto in alto dove la spinta smette.

Così è il tuffo in aria del delfino.

In cima al volo fa il pieno nei polmoni per avere più peso.

Anche Irene riesce a spingere il suo corpo fuori dell'acqua, ma non ha la spinta della loro coda.

Può fare brevi salti in lungo sulla superficie, non in alto.

Dopo il parto di stanotte, il maschio di Irene è partito. Da tempo doveva emigrare.

Si è fermato per lei, con il permesso della femmina madre. L'amore tra le creature è il re delle eccezioni e sta alla vita come l'eresia sta alle religioni.

Lo sposo è rientrato nei ranghi lasciando Irene e la famiglia. È andato a sud, verso l'Africa e il canale per l'Oceano Indiano.

Quando aprirono Suez i primi delfini a passare rischiarono di morire per fame in un deserto.

Stanotte Irene e la sorella hanno partorito insieme, due cuccioli sani.

Anche il figlio di Irene è un delfino. Della madre ha soltanto una peluria bionda.

Irene l'ha abbracciato, due baci sulla fronte, e l'ha affidato alla sorella. Già stava allattando.

Il piccolo si mette pancia in sopra, la testa fuori d'acqua, e la madre gli spruzza il latte in bocca.

Così hanno preso il primo nutrimento i due nuovi delfini.

Irene è stata accompagnata a riva dalla femmina madre.

E adesso Irene? Adesso basta Irene. Ha dato un figlio al mare e la sua storia a un uomo.

In terra le donne la scacceranno, diranno che si è sbarazzata della sua creatura. E sarà una parte della verità.

Non si può vivere nascosti su un'isola che si percorre a piedi con una giornata di cammino.

Stanotte Irene ha finito, non ha posto in terra né in mare.

Non posso aggiungere altro alla sua storia. Gliene voglio raccontare un seguito, ugualmente.

Lei tira in gola il respiro profondo e io comincio. C'era una volta un venditore di colombe. Si chiamava Ionà.

Venne una voce su di lui, una specie di tuono, disse: "Kum". Nella sua lingua è: àlzati.

Che avresti fatto tu? Lui si alzò e ascoltò in piedi la missione che gli veniva caricata addosso.

Racconto a Irene l'avventura di Ionà, Giona il profeta, che si oppose e disse no alla voce.

È la sola storia un poco marinaia delle scritture sacre.

Ionà s'imbarca per la direzione opposta. Una tempesta in mare scuote la nave. Per placarla lui offre di gettarsi nelle onde.

Una balena lo salva custodendolo nel suo ventre come un figlio in grembo.

Quando esce da lei è pronto per la vita seguente, in terraferma.

Racconto a Irene di Ionà per somiglianza. Lei è stata salvata dai delfini e da loro accudita.

Esiste una seconda vita dopo il mare, innescata da una voce, da un qualunque "kum", àlzati, vieni.

Mi accorgo che lei non respira. Mi fermo, le chiedo perché.

Irene butta in gola un po' d'aria. Mi dice che stare in ascolto è immergersi in mare. Fa una buona scorta d'aria e sta a sentire. In mare riceve le storie così.

In apnea? E sorrido a un'altra parola greca infilata nel vocabolario.

Da noi, quando un libro è piaciuto si usa dire di averlo letto d'un fiato. Tu sola puoi farlo davvero.

M'impegno a fermarmi per darle un tempo di respiro. Non mi capiterà di nuovo un altro ascolto senz'aria.

Esiste un'isola nell'oceano e una baia chiamata dei Golfinhos, delfini, dove muoiono solo di vecchiaia. È un'area sotto protezione.

Ci arrivano le onde che non hanno sfiorato alcuna terra, onde tirate su dal vento nato in mare, senza polvere, polline, cenere, piume.

Al loro arrivo sul fondale basso le onde si gonfiano, s'impennano e si sfracellano di schianto. Crollano senza poterle cavalcare.

Irene mi chiede dove. Esci da Gibilterra, scendi l'Africa fino alle Canarie, poi traversi l'oceano e l'Equatore e sei arrivata.

Con il braccio indico un approssimato sudovest.

Sorride ai miei riferimenti, chiederà ai delfini.

Vieni con me in un'altra terraferma. Vieni sulle montagne da dove il mare si è ritirato come un emigrante, lasciandosi dietro uno strascico di conchiglie vuote.

Prenderemo la nave, metà bianca e metà arancione, che va d'isola in isola fino a dove il mare è tutto passato alle spalle.

Entreremo in un aereo, in una di quelle luci che ammiccano di notte attraversando il buio.

Abiteremo una casa di pietra e di legno, conoscerai le cotture, le minestre, il pane.

Cavalcherai le rocce, conoscerai gli abissi d'aria spalancata sotto il corpo, diversi e anche compagni di quelli dentro il mare.

Entreremo in un cinema dove le storie e le persone sembrano più grandi.

Guarderemo un'avventura di Charlot maestro dei sorrisi.

Scappa via dalle guardie, mangia il cuoio di una scarpa, lavora tra le bestie di un circo, in fabbrica, in miniera, tutto fa tranne una cosa: lui non muore.

In nessuna storia muore. Mi fermo. Irene si mette a sedere e guarda il mare che ha davanti.

Continuo: andremo a Napoli, da un balcone vedremo il sole staccarsi dalla spalla del vulcano e berremo un caffè miracoloso, più sacro dell'incenso.

Napoli se ne sta sdraiata in faccia a un'isola, ha pochi alberi, molti sotterranei. Se arriva il terremoto, l'avvisano i topi usciti per strada. Se arriva la pioggia, si sa dalla nuvola che si accovaccia sulla cima del cratere come una gallina sulle uova. Da qualunque sogno si estraggono numeri.

Vedrai la neve bianca come la mia barba, che spunta d'inverno e se ne va in primavera mandata via dai fiori. La neve non piove, viene a fiocchi bianchi. Ognuno di quelli ha sei lati, chissà perché non sette. Invece di scorrere verso il mare la neve resta sui monti, sugli alberi, sui tetti delle case e sulle strade, che non si vedono più.

A camminarci sopra è morbida come una spugna o dura come il legno, allora scricchiola sotto le scarpe. Dipende dalla temperatura.

Se la metti in bocca non sa di niente. Non è come la manna del deserto che prendeva il sapore desiderato da chi l'assaggiava. La neve non è sparsa per noi.

Una volta, sulla cima di un monte è franata sotto i miei piedi. Per non cadere di mille metri mi sono aggrappato a una specie di piccone che avevo con me.

Sembra compatta la neve, ma è fatta a strati. È come la musica di molti strumenti, sembra una, ma è un ammasso.

Irene lo capisce, anche il mare è fatto così, a gradini di luce e di calore.

Ascolta le mie chiacchiere, non crede alla neve.

Esiste, le dico, è fatta come il sale secco delle pozze marine prosciugate tra gli scogli.

Potevi pure dire che era come lo zucchero?, mi chiede.

Potevo, ma dicevo sbagliato. Lo zucchero se ne sta a granelli separati, invece il sale marino si compatta come fa la neve.

Mi chiede se si posa sul mare.

No, sul mare no, si squaglia.

Allora esiste solo sulla terra?

Solo sulla terra.

Irene non crede alla neve. Devo cambiare storia. Conosco una donna che non getta i noccioli della frutta nella spazzatura. Li raccoglie e poi trova un terreno in cui buttarli.

Dice che sono semi e devono avere una possibilità.

Brava, dice Irene.

E tu? Le dico: non sei un nocciolo di frutto?

Si guarda il ventre, dice: un guscio che si è svuotato a mare.

Conoscerai giovani maschi, andrai a ballare al suono di una musica di piazza. S'innamoreranno di te a bocca aperta.

Per le strade le persone ti saluteranno, buongiorno signorina Irene.

Lei fa un sorriso. M'incoraggio e proseguo. Insegnerai ai bambini a giocare con le onde sonore, a ripetere il nuoto dei delfini.

Andrai nelle isole dove fanno le mattanze e le impedirai. Girerai il mondo a togliere i delfini dalle vasche.

Poi tornerai qui e racconterai alla tua famiglia del mare.

Alla fine sarai la stessa Irene, il mondo non ti avrà cambiato, lo prometto.

Esiste il viaggio fuori di quest'isola e cento vite tue che sono uova pronte per la schiusa. Per covata basterà il tempo con cui dici sì.

Poi mi fermo, perché non mi viene altra vita da inventare e mi darei un pugno in fronte per la mia scarsità. Perché dura il tempo che uno la inventa.

E neanche stavolta ho messo la fine a un racconto. Lo stesso lei sa che ho finito.

Sorride, fa un sì con la testa, però non a me. Fa un sì a tutte le Irene che non sono lei stessa, però potevano.

Aspetto. Lei si tocca il ventre svuotato, se lo batte e stavolta suona secco e cupo, un rumore di zoccoli in una chiesa vuota.

Un brivido e mi abbraccio le ginocchia. Le storie inventate per lei l'hanno tenuta per il tempo di apnea del suo ascolto.

Irene tira nel naso l'aria di quando si chiude la pagina finale di un racconto.

Con una sola spinta di talloni si toglie dal mio fianco. Il cielo incrostato di stelle contorna di luci il suo corpo e lo tratteggia.

È la bellezza pura che sta entrando in mare, illesa da lusinghe di futuro, senza un saluto indietro, come un serpente con la vecchia pelle.

S'immerge nella notte, s'infila tra due onde col fruscio delle dita che aprono una tenda.

Il cielo in una stalla

Brutta notizia per il sottotenente degli alpini Aldo De Luca, di stanza in Albania: la sua casa era stata colpita dai fitti bombardamenti dell'agosto del '43.

La guerra, perduta su tutti i fronti, metteva in ognuno la speranza di uscirne senza troppa perdita personale. Per lui non era più così, il solo suo possedimento era crollato.

Al sottotenente venne data licenza per casa bombardata. Partì alla fine di agosto e arrivò a Napoli a inizio di settembre. Si presentò al comando e poi al suo indirizzo in via Crispi, strada di buon nome. Recuperò dalle macerie solo dei libri, resistenti alle bombe e ai saccheggi. La rovina era grave. Fu la sua fortuna.

Prima del suo rientro al fronte, l'Italia, cioè il re Savoia e Badoglio, firmarono l'armistizio e scapparono in Puglia, sotto controllo anglo-americano. Alle loro spalle successe il più scomposto disordine. Una sbagliata esultanza per la guerra finita fu ricacciata indietro dai tedeschi, diventati truppa di occupazione. I soldati italiani lasciati senza un ordine e un saluto si sbandarono, spogliando la divisa, nascondendosi. Il sottotenente aveva la fortuna di trovarsi nella sua città. Vestì panni civili e si chiuse in casa di amici.

Furono le settimane eterne di settembre del '43, tutto si decideva di ora in ora. Napoli era sotto una gragnuola di bombardamenti aerei, gli Alleati erano sbarcati a Salerno, il golfo era minato, i tedeschi rastrellavano gli uomini tra i diciotto e i trentatré.

Profuga in appartamenti e rifugi, una generazione di giovani uomini sbandati cercava di guadagnare tempo al buio. Non potevano correre nei ripari durante le incursioni aeree, ma restare dov'erano giocandosi la pelle a nascondino.

Con alcuni amici in condizioni simili, il sottotenente Aldo De Luca riuscì a lasciare Napoli raggiungendo Sorrento. Lì non piovevano bombe, anzi proseguiva la stagione turistica. Gli alberghi erano pieni di donne, bambini e anziani. Il gruppetto di cinque giovanotti si nascose nella masseria di un contadino, fittavolo di terre possedute da uno di loro, noceti e limonaie. I tedeschi a Sorrento controllavano il porto e la ferrovia.

Passarono giorni e notti nella stalla in intimità con altrettante vacche. L'unico abituato era il sottotenente degli alpini, che aveva dimestichezza con i muli in dotazione al suo reparto. Si era affezionato a loro. Capita in posti e tempi in cui si è costretti a vivere da snaturati: allora le bestie riannodano un'intesa con la vita.

Dovettero fuggire due volte dalla stalla, nascondersi tra i limoni. I tedeschi giravano a requisire bestiame da macello. Si muovevano lenti con un camion per le stradine sterrate della collina, c'era tempo di preavviso.

Oltre i rami e le frasche spiccava l'isola di Capri, vicina nella luce di settembre che accorcia la geografia. Anche il cielo di notte scendeva per accovacciarsi a terra. Calavano stelle basse fino al bordo del mare. Il tetto fessurato della stalla faceva sbirciare squarci di astronomia. Il coprifuoco teneva spente le luci in terra.

Quando diventò celebre negli anni sessanta la canzone *Il cielo in una stanza*, mio padre Aldo De Luca si ricordò con un sorriso del cielo in una stalla. Da lì proviene questo resoconto.

Solo poco prima stava sotto le medesime stelle nei bivacchi sul bordo del fiume Voiussa. Dove le trote erano sazie di giovani corpi nostri, spediti al tirassegno dei Greci dal baldanzoso affacciato al balcone.

Non assaggiava il pescato ingrassato a cadaveri, il sottotenente, non variava il rancio con l'abbondanza catturata con la tecnica di frodo della bomba esplosa a pelo d'acqua.

Solo poco prima le medesime stelle erano cimici appiccicate al soffitto, impolverate, strafottenti. Nelle notti della masseria se le ritrovava infermiere in camice bianco a vegliare sulla loro corsia di uomini sdraiati ad aspettare.

Tra loro i soliti discorsi notturni, tu che farai dopo, le strampalate risposte da scolari di giugno. Erano già nel dopo, che in una guerra non è la pace ma l'interruzione che stordisce. Erano nel dopo a starsene senza sonno sotto l'immenso, neutro e indifferente.

Dalla masseria si vedeva Napoli bruciare per le bombe notturne, a fiammelle di arancio, per solo rumore la fregola dei grilli.

Improvvisa fu la notizia che Capri era stata occupata dagli americani. Giovanotti venuti dalle pianure dell'Oregon, dalle paludi della Florida, dai pascoli di montagna del Wisconsin erano sbarcati là davanti. Aldo De Luca, figlio dell'americana Ruby Hammond, sposata al napoletano Adolfo De Luca, sentì commossa la metà del suo sangue d'oltreoceano. Non era mai stato laggiù, ma ne parlava la lingua con sua madre.

Intanto era arrivato in stalla un altro ospite, non giovane come loro cinque. Il fittavolo già che c'era e si stava giocando la libertà e la vita nascondendone cinque, aggiunse il sesto, a pagamento, questo. Era un signore di famiglia ebraica, si nascondeva nella penisola di Sorrento già da alcuni anni.

Dopo l'8 settembre i tedeschi, padroni del campo, cercavano i pochi ebrei con accanita efficienza. L'uomo aveva perduto il suo rifugio, ma disponendo di denaro era riuscito a comprarsi una salvezza al giorno. Era arrivato alla stalla. Dei cinque, il solo Aldo De Luca rivolse una parola e un'attenzione al nuovo ospite. Per sua indole interessata alle persone, per suo talento di partecipare, perché dei cinque era con più esperienza, trovò con lui la via per ascoltare e dire.

Capri era la libertà a vista. Il fittavolo combinò la traversata. Da Massa Lubrense sarebbe partita di notte una barca a remi, l'avrebbero trovata all'ancora tra gli scogli. Da lì con qualche ora di braccia potevano arrivare a Capri. C'era rischio di mine a pelo d'acqua e pattuglie tedesche notturne. A favore c'era la luna nuova ancora piccola che girava bassa sull'orizzonte e tramontava in fretta. Stabilirono d'imbarcarsi dopo la mezzanotte. Come cena d'addio gustarono del formaggio.

L'anziano ebreo, sesto tra loro, portava fisso in testa un cappello di paglia, anche quando dormiva. Aldo De Luca, già in confidenza con lui, gli chiese se serviva a coprire una ferita. No, era per usanza di andare a capo coperto all'aria aperta, per rispetto della divinità. La stalla dal cui tetto filtrava luce, era per lui aria aperta. Era costume opposto a quello cristiano che in chiesa scopre il capo. Per Aldo, ateo di guerra per evidente incompatibilità tra un Dio e la malora vista in Terra, l'usanza dell'ebreo sembrò smaccatamente opposta. Dal suo punto di vista concluse che l'ebraismo era un puntiglioso contrasto del cristianesimo. Se ne voleva distinguere fin dall'abbigliamento.

"Un po' più di così," gli rispose l'anziano. "Siamo circoncisi, segno indelebile di appartenere a una separazione. È stato il cristianesimo a volersi distinguere dall'ebraismo. Gesù era circonciso come ogni ebreo, ma il suo seguito scelse di tenersi il prepuzio. Gesù festeggiava il giorno di sabato, shabbat, settimo per lui. Il suo seguito scelse festiva la domenica."

Al mattino l'anziano apriva un libro e lo lasciava aperto. Il vento ne sfogliava le pagine. Lo richiudeva a sera senza aver letto un rigo. Mio padre gli domandò a che gli serviva. Era curioso e non si faceva scrupolo di impicciarsi. La risposta fu che quello era un libro di preghiere, ma lui non sapeva più pregare. Allora lo lasciava aperto, ci pensasse il vento a pregare. Lo disse in tono fermo e desolato, nessuna possibilità che lo dicesse a scherzo. Mio padre tacque. In guerra le persone fanno scongiuri strani, si attaccano alla vita con la fede, la collera e la superstizione. In quegli anni di strage della gioventù lui si era imposto per atteggiamento l'insolente strafottenza del pericolo. Era più sicuro infischiarsene.

Mio padre chiese di poter sfogliare il libro. Scritto in un alfabeto sconosciuto, lettere nere scorrevano su carta piacevole a toccarsi, ne veniva un odore di carrube. Scorrevano, si muovevano sotto gli occhi, andavano al contrario del verso di lettura. "Davano un po' di vertigine i caratteri."

Ricordò di averlo poggiato con una mossa delicata. Amava i libri, ma quello gli sembrò un oggetto smarrito, bisognoso di quella premura. "Chi mi poteva dire che avrei avuto un figlio capace di leggere quel libro? Io neanche di reggerlo." Spostò lo sguardo verso il mare, dove Capri gli sembrò un altare vuoto.

La notte dell'imbarco era una di quelle buone a fabbricare figli, scura, solenne, intima, profonda. Un compositore napoletano aveva scritto per entusiasmo in una notte simile: "*Stanotte am-more e Dio song' una cosa*". Amore e Dio sono la stessa cosa? In quella strofa, sotto quella musica e in quella notte verso la libertà a forza di braccia? Sì, e la cantò a voce spenta per sollievo di uscire dall'attesa.

"Ce la giochiamo tutta, questa notte," disse all'uomo che seguiva, ultimo della fila, sul sentiero. "Per me è così da cinque anni, dalle leggi razziali. Ho spedito la famiglia al sicuro e sono rimasto."

Lo schifo delle leggi razziali: una delle imitazioni servili del fascismo, per compiacere l'alleato più forte. Il fascista Franco in Spagna non le aveva adottate.

Sul momento, nel '38, lo studente di economia Aldo De Luca aveva reagito con la smorfia di disgusto di un'opposizione superficiale. Le aveva dimenticate. Ora tornavano come atto di accusa nella risposta dell'uomo alle sue spalle. C'entravano anche quelle nella rovina dell'Italia fascista. C'era una potente mano di giustizia nella disfatta della sua generazione, nella distruzione c'era una sentenza da leggere. Erano allo sbaraglio a scontare la loro leggerezza. La sua formula di condanna contro se stesso era: "Sono stato un fesso".

Provò affetto e sollievo per l'ultimo della fila. Quell'uomo era più naufrago di loro, meritava il rispetto dovuto a un veterano. Era un salvacondotto davanti alla giustizia, la sua presenza con loro. Strano pensiero per un ateo inasprito, ammise Aldo De Luca con suo figlio.

Arrivarono agli scogli attraverso terrazze di viti appena vendemmiate. Ne trovarono da racimolare al passaggio. Il rumore del mare copriva la loro marcia curva.

La barchetta era all'ancora. La raggiunse a

nuoto il giovane sottufficiale Aldo De Luca, il più alto in grado militare dei cinque. Salutarono il fittavolo, uomo massiccio sulla sessantina che augurò loro: "'A bona sciorta". Si sistemarono in quattro a poppa, uno ai remi, un altro a prua. Cominciò il turno lui che si era tolto i panni e aveva bisogno di asciugarsi.

Quello seduto a prua gli indicava la direzione da correggere. C'era silenzio fitto in barca e intorno a loro. Si scambiavano frasi corte a bassa voce. Aldo De Luca era robusto e con fiato allenato a marce con lo zaino, ma non pratico ai remi. Li affondava troppo, sprecava forza trasportando poco.

Uno gli consigliò di remare più in superficie, il risultato fu un colpo energico andato a vuoto, che non prese acqua, e lo fece cadere all'indietro, addosso a quello che scrutava a prua. Seguirono risate, la più sghignazzata fu del giovane padrone delle terre, che sopportava male in quei giorni il rovescio delle gerarchie tra loro. Dovere della riconoscenza al suo fittavolo subordinato, riconoscere il rispetto degli altri verso il sottufficiale Aldo De Luca, unico a provenire da un fronte, tra loro imboscati in uffici e protetti da raccomandazioni. Quando s'impone la necessità, saltano privilegi e precedenze. L'anziano non sorrise dell'incidente, allungò la mano per aiutare il rematore finito gambe all'aria.

Non ripeté l'errore. Mio padre, spalle alla prua, vedeva la costa di Sorrento allontanarsi a forza di braccia e di schiena.

Stava facendo qualcosa per salvarsi, un atto di libertà e di egoismo. Non aveva notizie di sua madre, dei fratelli, né loro di lui. Se riusciva il viaggio, era il primo della famiglia a uscire dalla guerra. Se falliva: non voleva pensarci.

Altri italiani in quei giorni tentavano mosse di libertà salendo in montagna a fare la guerra clandestina in bande armate. Gli ho sentito ripetere il rammarico di non aver preso parte a quella piccola minoranza che si era battuta. Mentre per lui quei giorni di settembre erano stati il sollievo dell'addio alle armi.

I giorni e le notti nella masseria erano stati una convalescenza. Beveva a garganella il latte fresco che non gli era mai piaciuto. Leggeva una raccolta di aneddoti napoletani raccolti da Benedetto Croce. Si riconciliava con la sua gioventù finita nelle ortiche. E non gli salì a mente e a desiderio di combattere contro quelli che gliel'avevano inguaiata.

I giovani gli chiedevano dell'esperienza in guerra, rispondeva che non ne voleva parlare né sentire. Quei giovani si annoiavano, lui no, assaporava il tempo sospeso.

Neanche l'anziano si annoiava. Leggeva, rammendava i panni, osservava la mungitura, prendeva appunti su un quaderno a righe. Facevano il bucato insieme, lo stendevano ad asciugare nella stalla per non esporlo a vista. All'ora del tramonto si ritrovavano seduti tra i limoni a farsi scendere il sole in faccia, finché finiva sotto i piedi.

Ricordava frasi di quell'uomo: "Gam zu letovà", anche questo è per buono. Nelle circostanze difficili ripeteva: "Gam zu letovà". E spiegava: "Finché non sarò smentito dalla morte, insisterò a dire che pure il maggior pericolo è lì per un buon fine".

Molti anni dopo raccoglieva dettagli per suo figlio, ma non ricordava quanti erano stati i giorni della masseria. Succede al tempo quando fa da anticamera.

La traversata notturna, stretti nel guscio di una barchetta a remi, aveva compresso il suo tempo di prima a una premessa.

Il ritmo dei remi e dei polmoni ricordava al sottotenente il passo delle marce in salita. S'ingobbiva come sotto lo zaino, ma era più bella e strana la posizione del rematore in barca, che avanza guardando all'indietro. La schiena rivolta all'arrivo non permetteva di misurare l'avvicinamento. Scandiva invece bene la distanza dalla terraferma prigioniera. Sorrideva di vederla sbiadire nel buio insieme ai milleduecento giorni di guerra.

Se li era contati e li stava barattando con i colpi dei remi. Calcolava: venti colpi al minuto ne fanno milleduecento all'ora. Remo per un'ora così li avrò scontati. Da quel punto in poi sarò libero.

Strani pensieri vengono a chi si accosta a un confine per scavalcarlo. Ci metteva foga. "Questo è per il mulo saltato sulla mina al posto mio, questo è per le notti a gelare sui sassi del monte Tomori, questo è per la mia stanza distrutta." All'uomo serve un ritmo nello sforzo, più che una ragione. I titoli che metteva alle vogate davano il tempo al corpo.

Gli altri guardavano fare o stavano coi pensieri. Uno diceva ogni tanto che gli sembrava di stare fermo nello stesso punto, per effetto del buio che smussa le distanze.

Mio padre schiumava sudore e non aveva pensato a una bottiglia d'acqua. L'anziano la tirò dal suo bagaglio e gliela offrì. Si cacciò in gola sorsi di conforto. "Grazie." "No, grazie a te." Era il primo tu scambiato. Nessuna barca uscita per la pesca notturna al calamaro, niente lampare, solo il faro di Punta Campanella sputava a mare la fiamma bianca dell'acetilene.

Mai si era immaginato che poteva finire così la sua parte di guerra: di notte e di nascosto. Insieme a dei compagni coi quali non aveva niente in comune, tranne quell'anziano che gli aveva offerto l'acqua e il tu, l'ospitalità del deserto.

Erano tutti loro dei clandestini in patria, ma quell'uomo era più allenato, non improvvisava le mosse di salvezza.

La notte era perfetta per la traversata, ma se lo fosse stata un poco meno? Per esempio la nebbia: succede che si alza dal mare come la panna dal latte e nasconde pure la punta delle scarpe. Nessuno di loro aveva nel bagaglio una bussola, ma era certo che l'ebreo l'aveva. Glielo chiese. "Sì, ti serve?" "No." Concluse che gli ebrei erano più previdenti.

"Da quanto tempo sei clandestino?" L'uomo nel buio mostrò due dita, indice e medio, e sussurrò: "Da duemila anni".

"Te li porti bene. A me tre settimane da nascosto già mi hanno invecchiato. Vuol dire che a terra paghi da bere. La fine di duemila anni di clandestinità va bagnata come si deve." Nel buio l'ebreo fece il gesto del brindisi.

Era una notte per abbracciare una donna anziché serrare i pugni intorno ai remi. Si accorse che gli sanguinavano i palmi quando si passò il dorso sulla fronte. Era passata un'ora di turno e si fece dare il cambio. L'anziano si offrì, venne scartato. Remò il più capace, che era stato canottiere in un circolo marinaro di Santa Lucia. Abituato a legni lunghi, prese facilmente le misure a quelli corti e filò veloce. Sfruttava le piccole onde planandoci sopra. Non faceva oscillare la barca.

Erano in mezzo al tratto di mare. L'anziano chiese a mio padre che gli sedeva accanto se lo disturbava pronunciando a bassa voce una preghiera. Voleva ristabilire i rapporti con la provvidenza.

Mio padre che avrebbe zittito brusco uno di loro cinque se attaccava un paternoster, non se la sentì di essere scortese con l'anziano.

Ascoltò frasi spezzate: "E ci hai salvato dalla mano di ogni nemico", "e hai mandato una benedizione in ogni opera delle nostre mani". Mio padre si guardò le sue al buio, ferite, se le sciacquò in mare e il sale fece ardere le piaghe.

L'ebreo pregava al passato. C'era bisogno casomai di un'assistenza per il futuro immediato. Gli venne da interromperlo: una preghiera è fatta per chiedere, che c'entravano i verbi al passato?

L'anziano si lasciò interrompere e rispose con l'esempio dell'arco: per tirare lontano la tua freccia devi prendere la corda e tenderla più indietro che puoi. Così fa pure la preghiera, una specie di freccia.

Mentre mio padre ci pensava, l'anziano finì di recitarla: "Ecco io mando un messaggero innanzi a te per custodirti nel cammino e per farti venire al luogo che ho stabilito".

Da Capri arrivava, debole ancora, il suono di una musica.

Fu una traversata quieta, meno di tre ore. Arrivarono a ridosso di Capri e vollero evitare il porto di Marina Grande, dove sarebbero stati fermati e trattenuti. Cercarono un attracco tra gli scogli.

Il mare lento non dava rischio di sbattere contro l'aspro della costa. Trovarono un approdo tra i sassi. Dovevano anche mettere in salvo la barca e la issarono in secco. La tensione allentata, l'allegria violenta, i cinque si davano abbracci, pacche sulle spalle, pugni di gioia compressa a bassa voce. Due di loro si spogliarono e fecero un bagno notturno sguazzando sott'acqua. Avevano raggiunto la terra liberata e coincideva per loro con la villeggiatura. Si erano tolti la guerra di dosso.

L'anziano si chinò e baciò il suolo di sassi. Piacque a mio padre la mossa di gratitudine alla terra. Si fece ripetere la preghiera del viaggio, ne prese appunto per fissare in ricordo la notte di passaggio.

Chiese all'anziano come stava. "Come uno che è passato a piedi nel Mar Rosso."

Si avviarono al buio tra gli scogli verso le case di Marina Grande, da dove proveniva più nitida la musica inverosimile di un'orchestrina che suonava un charleston.

Una cosa molto stupida

Corto e amaro il mese di febbraro, si diceva da noi di un Sud senza difesa dall'inverno. Al paese del sole succedeva la puzza per il freddo. Spella, sviscera, svuota, sgambetta il freddo, 'o fridd'.

Nei vicoli della città stesa sul mare si gelano pure gli strilli, per non buttare all'aria il poco di calduccio del respiro. I corpi dei vecchi e dei bambini rinsecchiscono e si torcono nelle dissenterie.

Adda passa 'vierno, ha da passare inverno, dice l'uomo che vive in una stanza al piano marciapiede con moglie, figlio e padre anziano. È domenica e si sta intorno alla tavola che è costituita dalla porta del bagno sfilata dai cardini e appoggiata sul letto, con una tovaglia sopra.

Nello spazio minuscolo ci dormono pure, due sul letto, il figlio su un materasso in terra e su una branda il vecchio, che già magro di suo, si fa più stretto. Il passaggio di febbraio per lui è un cunicolo in cui strisciare. Il vento di tramontana spazza nuvole, vecchi e bambini.

"Che dite, don Saverio," dice l'uomo avvolto in una coperta militare reduce di due guerre al padre che sta seduto sulla tazza del gabinetto, "voi che avete visto ottantuno inverni, quanto manca alla fine di questa penitenza?" Il vecchio per risposta ha la scarica di un brivido di viscere e di freddo. È il secondo giorno di tramontana e un terzo segue sempre.

Il voi dell'uomo al padre è l'ultimo resto di un rispetto finito. Quando in poco spazio uno si trova scosso dagli svuotamenti di intestino pure se sta a digiuno, quando si è di peso e di puzza agli altri, il rispetto se ne va coi secchi d'acqua dentro lo sciacquone.

Il ragazzo che studia fa il saputo e interviene a favore dell'inverno: perché debella microbi e infezioni. Debella? Che parola può essere, chiedono i due genitori compiaciuti del figlio erudito. Il vecchio trema nell'angolo buio del gabinetto senza porta. Debella, dal latino, fa morire, spiega il ragazzo e involontariamente guarda verso il nonno. Certo, senza di lui ci sta più spazio e quell'odore in meno.

Da bambini e da vecchi non esiste il verbo

morire, rimpiazzato dal verbo passare. L'inverno oppure il vecchio: uno dei due deve passare l'altro.

A Davide re in Gerusalemme in ultima età veniva messa nel letto una ragazza, non per amore, ma per riscaldamento. Al vecchio basterebbe un po' di caldo ai piedi, che poi ci pensa il sangue a distribuire un poco di tepore al resto dello scheletro. Questo può fare la gioventù riguardo alla vecchiaia, un travaso di temperatura come da Abigail a Davide. Al vecchio basterebbe una parola buona.

Seduto sulla tazza mentre gela gli spuntano due lacrime tiepide che si perdono nel bianco della barba non rasata da giorni. La loro spremuta arresta i brividi, strano che pure un malincuore di mortificazione possa riscaldare. Succede anche con le risate, ma non è il momento.

"Al vico Setteventi è morta 'onna Speranza," dice la donna. "È stata soffocata dal fumo del braciere."

"Ossido di carbonio," dice il figlio che studia, "un gas incolore, inodore, insapore, più pesante dell'aria."

"La morte dei puverielli," dice l'uomo, che ci tiene all'ultima parola.

“È un gas che ci sta e nun te n’adduone?” chiede la donna.

“Ci sta e non te ne accorgi,” risponde il figlio che la corregge in italiano.

“È come la morte,” conclude l’uomo.

Il vecchio cerca di tirarsi in piedi, si appoggia, si puntella per far risalire mutande e pantaloni, due, tutto il suo guardaroba addosso, pure due camicie e due calzini. Intanto rimugina che la morte un odore lo tiene, di gabinetto, scarpe vecchie, muffa. I topi di notte escono e lo fiutano addosso ai vivi che stentano. Il sapore è di acido di stomaco digiuno. E sarà pure un gas più pesante dell’aria del lungomare, ma non dell’aria del vicolo che fa andare curvi sotto il peso del freddo.

A tavola senza malintenzione la donna e il figlio guardano nel piatto del vecchio. Il mezzo chilo di pasta è sparso in quattro scodelle, la porzione più scarsa va a lui che ha pochi denti. Con quelli rimasti è lento a buttare in gola la pasta grossa al dente. Usano quella perché fa più volume dentro il piatto. E il vecchio ci mette più tempo e il ragazzo, che finisce prima, va di forchetta nel piatto del nonno. A volte il vecchio si strozza per il boccone inghiottito in fretta e gli tocca il commento della nuora: “Facite chiano, masticate bene. All'età vostra vi dovete mantenere leggero".

Non è vero, e non a febbraio, magari a luglio se ci arriva. Ma ora tiene fame di saziarsi e non succede, non arriva in tempo. Allora oggi, domenica, il vecchio ha preso il piatto e se l'è portato al gabinetto. Se l'è mangiato piano, seduto sulla tazza. La mossa ha sparigliato, infastidito. La donna non si è tenuta e ha commentato: "Quello che mangia lo va a scaricare subito là dentro". L'uomo ha alzato le spalle, il figlio ha scosso la testa.

"Perché? Voi ve lo conservate in corpo sotto chiave?" ha risposto dalla tazza il vecchio. Ha risposto, ha reagito, la donna sta per scattare, l'uomo la trattiene.

"Babbo per favore, stiamo a tavola."

Ecco è successo: loro, la famiglia, da una parte, dall'altra il vecchio a carico e a zavorra.

"Fa pure l'insolente," dice la donna all'uomo, che le lascia l'ultima parola.

Fai campare gli altri: il vecchio sente le frasi nella testa dei parenti e non serve tapparsi le orecchie. Fai campare gli altri, che vai cercando ancora dentro il piatto, seduto al gabinetto?

È com'era quando soldato in guerra la sua vita proseguiva mentre quella degli altri no e gli sembrava che la sua salvezza costava la perdita delle altre intorno. Questo febbraio è un campo di battaglia, ma stavolta non ci stanno le vite dei coetanei da sfoltire al posto suo, in cambio della sua. Stavolta è circondato e sta pure da solo.

Finalmente un po' di sole è sceso fino a terra strisciando giù dai muri, tra i panni stesi in alto che ingombrano il passaggio. Il vecchio esce e si mette con la sedia sul marciapiede. Si appoggia al muro e succhia a faccia in su un poco di tepore dalle mammelle secche di febbraio. A palpebre calate, così pigliano caldo pure loro.

Mentre gusta la grazia di quell'elemosina, cade dall'alto fuori da un canestro il guscio pieno di una mandorla. Gli finisce in braccio senza rumore. Non fa a tempo a sussultare, apre gli occhi, la prende, poi guarda in su, sia per ringraziamento sia per vedere se ne piove un'altra.

È una mandorla che l'anno scorso è stata un fiore bianco e ora è un piccolo forziere di legno con un frutto dentro. Per aprirla prova a schiacciarla sotto il piede della sedia e appoggiandoci il peso. Il guscio non cede e il vecchio vacilla, traballa, si regge al muro per non cadere dalla sedia. Raccoglie la mandorla illesa e se la mette in tasca.

Dura poco il sole di febbraio sul marciapiede, risale i muri e la temperatura scende a tuffo. Il vecchio non vuole tornare nella stanza. Ha la mandorla in tasca e il desiderio zingaro di andare dietro al sole. Lascia la sedia e si avvia in discesa, le ossa appena intiepidite, verso il mare, dove il sole si trattiene fino alla discesa dietro la collina bassa di Posillipo.

Nel palmo stringe il guscio e sente i battiti del suo sangue intorno. Se piovevano fichi secchi era più facile.

Nei suoi gesti è entrata una vaghezza, imprecisione, la testa gira dietro a un'euforia improvvisa. Dev'essere perché va dietro al sole che gli presta il cappotto. La mandorla sta nel suo guscio fortezza, ma quando la vincerà darà calore più di un bicchiere di vino guerriero.

Intanto al borgo di Santa Lucia, abbagliato di luce raddoppiata dal riflesso sull'acqua. Ci sbatte sopra e poi rimbalza addosso, promessa di calore pieno appena trova un punto riparato.

Il vecchio sa dove: dopo la roccaforte di tufo piantata sull'istmo inizia la diga foranea, blocchi di pietra bianca ammucchiati a fare sbarramento quando il vento gira a libeccio e lancia la cavalleria delle onde. Tra i massi c'è un posto al riparo dove lui d'estate passa i pomeriggi a pescare con la canna.

Intanto è sbattuto dal vento alle spalle che potrebbe alzarlo e buttarlo a mare come fa con gli ombrelloni dei bar. Il vecchio resiste, contrasta, stringe più forte la mandorla nel pugno come un ormeggio.

Nelle orecchie il vento fa un chiasso di stadio che applaude, sulla nuca gli assesta scappellotti, sui panni esegue una perquisizione. Il Vesuvio ha il collare di neve e sopra si vedono i mulinelli alzati dalla tramontana.

Il mare è mosso ma spinto verso il largo, non contro la scogliera. La tramontana aiuta la partenza delle navi, ostacola l'arrivo. Andatevene: è il suo invito.

Il vecchio arriva alla scogliera, scavalca la balaustra appoggiandoci le mani, lento, per non farsi buttare a terra prima del traguardo. A quattro zampe avanza tra le rocce squadrate fino al punto che sa. Eccolo il posto suo, invisibile dalla strada, protetto dal vento. La roccia bianca è calda. Il vecchio si abbassa, si accovaccia, sforzandosi di sedersi piano, scivolando di schiena contro il sasso, tanto peggio per la giacchetta che non ce la fa più a seguirlo.

Si siede, affanna, ma sta nel migliore posto della città, col sole in faccia e addosso, senza i morsi di cane del vento. Le gambe distese, più magre di come le ricorda, le scarpe si sono slacciate, le lascia così.

Il mare splende in faccia, il sole abbraccia il vecchio, preso tra due fuochi amici. Il corpo scioglie i nodi di tensione, gli spiana le rughe della fronte. La circolazione del sangue gli fa formicolio e solletico fino ai piedi. Si sono calmate le viscere spremute dal freddo. È un disgelo, colano due lacrime di felicità. La testa è sollevata in alto, punta alla cieca la sorgente di calore, come un girasole. Un respiro profondo gli solleva il petto, è un'onda che l'avvolge, le labbra un poco aperte, così pure la lingua assaggia.

Cerca la mandorla in tasca, la guarda in mezzo al palmo, compatta, è una conchiglia con due valve sigillate. Cerca a tentoni un sasso, lo raccoglie e comincia a bussare piano al guscio. Il rumore da secco passa a grave, segno che si schiude. Arriva il cedimento, si è aperta la breccia, liberato il frutto della mandorla piovuta. Prima d'infilarla in bocca la solleva in alto e le dà un bacio. L'accoglie come un'ostia sulla lingua, si mette a succhiarla. Vita, come ne basta poca a fare la felicità completa.

Davanti a lui le onde alzano creste, che sono fazzoletti bianchi e salutano le navi. Piccioni e gabbiani giocano a buttafuori con il vento, scaraventati frenano impennandosi. Svolazza perso un palloncino rosso. Potesse svalicare febbraio dentro la nicchia tiepida della scogliera, scegliersela per casa, togliendo il suo ingombro dalla stanza. Potesse. Può, e succhia la mandorla con gli occhi serrati.

Ricorda il giorno di soldato dentro la nave da guerra bombardata. Intorno esplodevano i corpi degli altri e il suo no. Ogni cellula chiedeva d'invecchiare e di avere una via d'uscita dal guscio di ferro che affondava. E il mare all'improvviso era entrato da uno squarcio nuovo e l'aveva afferrato spingendolo fuori. Il mare scippava una vita a casaccio, un furto con destrezza dal carro dei dannati. Lui era uscito all'aperto con un tuffo di nascita seconda, mani invisibili di levatrice l'avevano levato.

Salito in superficie aveva pianto a singhiozzi aggrappato a qualcosa. Intorno era calma sovrana, sole a picco, un giorno d'estate perfetto avvolgeva la strage dentro la più benevola indifferenza. Il bollettino meteo di quel giorno annunciava assenza di fenomeni nel Mediterraneo orientale.

Più assurda che a terra, la guerra sul mare: lo avevano issato a bordo i marinai inglesi, insieme a una manciata di affiorati. La vita salvata era stata rinchiusa in una cella, incassata nel corpo di una nave da guerra. Per lui era un reparto di maternità, se ne stava rannicchiato a feto, dormendo per la gran parte del giorno. Per cibo ricorda il peggiore formaggio della sua vita. La seconda nascita comportava un latte mal cagliato.

Un poeta ha scritto: "C'è competizione nel caos, una cosa molto stupida". Nient'affatto: la rissa per vivere, dalla corsa degli spermatozoi fino alla scomposta salvezza da un naufragio, era fuga, furia, affanno, fortuna e molto di più, ma stupida no. Nella scatola di ferro della nave inglese l'aveva benedetta quella fraintesa cosa molto stupida, la vita allo stato puro.

La mandorla in bocca fa il paio con quella vita liberata dal guscio, uscita illesa. Il sole in faccia gli tiene le palpebre calate, il mare nelle orecchie gliele tiene riempite. È invecchiato come e quanto aveva chiesto. Un grazie del corpo gli affiora alla bocca e lo dice. I vasi del sangue, allargati, battono colpi più lenti.

Il frutto si è dissolto contro la calotta del palato, lui ne inghiotte il resto. La stanchezza è perfetta, adesso è sazio e può. Respira un paio di litri d'aria calda, la trattiene, poi apre la bocca e da lì sguscia con una capriola di scugnizzo che si tuffa a mare, la vita che aspettava un'ora di felicità per togliere il disturbo.

Il mio debito greco

Grazie alla sua lingua studiata al liceo,
all'isola di Lipsi,
al delfino che mi ha scortato il nuoto,
a Panteli, pescatore di Egeo.

Indice